国家"双高"建设新形态教材

全国船舶工业职业教育教学指导委员会推荐教材

U0276258

船舶工程导论

主　编　黄晓雪

副主编　曹广博

主　审　高文涛

哈尔滨工程大学出版社

Harbin Engineering University Press

内 容 简 介

《船舶工程导论》一书是渤海船舶职业学院国家"双高"建设教材。本教材共设置8个章节，分别为初识船舶——船舶工程概述，始于想法——船舶设计，船舶骨骼——船体结构建造，实现功能——船舶舾装系统，船舶心脏——船舶动力设备及系统，点亮船舶——船舶电气系统，五彩缤纷——船舶涂装，完成任务——船舶下水、试验及交船。通过本教材学生可以学习到船舶从设计到生产全过程中所涉及的专业知识；学生可以熟识现代船舶的建造模式与船舶结构形式，深入了解船舶建造的流程以及船舶建造过程中每个流程所涉及的工艺方法；学生也能够对目前船舶建造工作中所应用到的最新工艺有一个清晰的了解。本教材为船舶工程技术专业群、船舶动力工程技术专业群、船舶电气工程技术专业群等涉船类专业课程的学习提供充足的知识储备，同样适用于高职类涉船专业学生，也可供广大船厂技术人员查阅。

图书在版编目(CIP)数据

船舶工程导论 / 黄晓雪主编. —哈尔滨 ：哈尔滨
工程大学出版社，2023.7(2024.1 重印)
ISBN 978-7-5661-3940-5

Ⅰ. ①船… Ⅱ. ①黄… Ⅲ. ①船舶工程 Ⅳ. ①U66

中国国家版本馆 CIP 数据核字(2023)第 113468 号

船舶工程导论
CHUANBO GONGCHENG DAOLUN

选题策划	雷　霞
责任编辑	张　彦　王晓西
封面设计	李海波

出版发行	哈尔滨工程大学出版社
社　　址	哈尔滨市南岗区南通大街 145 号
邮政编码	150001
发行电话	0451-82519328
传　　真	0451-82519699
经　　销	新华书店
印　　刷	哈尔滨午阳印刷有限公司
开　　本	787 mm×1 092 mm　1/16
印　　张	10.25
字　　数	272 千字
版　　次	2023 年 7 月第 1 版
印　　次	2024 年 1 月第 2 次印刷
定　　价	33.00 元

http://www.hrbeupress.com
E-mail:heupress@hrbeu.edu.cn

前　　言

随着船舶行业在我国的快速发展,其对船舶专业人才的需求也逐步加大,对于船舶专业人才的要求也越来越高。本教材在编写过程中,紧紧围绕"培养什么人、怎样培养人、为谁培养人"这一根本问题,始终把二十大精神中关于社会主义核心价值观、实现伟大中国梦的使命担当以及培育爱国情怀、民族自信、社会责任、职业态度、职业素养等方面核心精神与教材内容紧密结合,以学生综合职业能力培养为中心,共建共享型专业基础课和专业技能课程,进行《船舶工程导论》教材建设。

一、课程性质

"船舶工程导论"课程是高职类船舶工程技术专业群、船舶动力工程技术专业群、船舶电气工程技术专业群等涉船类专业的一门共享型专业基础课。在课程体系中,本课程对学生的学科专业能力的培养起到了引导的作用。通过本课程的学习,学生可以熟识现代船舶的建造模式与船舶结构形式,深入了解船舶建造的流程以及船舶建造过程中每个流程所涉及的工艺方法;通过本课程的学习,学生也能够对目前船舶建造工作中所应用到的最新工艺有一个清晰的了解,为船舶工程技术专业群、船舶动力工程技术专业群、船舶电气工程技术专业群等涉船类专业课程的学习提供充足的知识储备。

二、编写原则

《船舶工程导论》教材紧紧围绕船体建造模式以及建造工作过程中的船体结构建造、船舶舾装系统、船舶动力系统、船舶电气系统、船舶涂装、船舶下水及试验等所涉及的工艺方法进行编写。本教材在编写过程中,始终贯穿着党的二十大精神,精选船舶建造领域中的代表性人物,将工匠精神、家国情怀等新时代精神融入知识体系,培养学生的敬业精神,增进历史自信、文化自信。本教材按照船舶建造的先后顺序,通过对船舶建造学科各个专业的常见施工方法进行讲解,以及对目前投入实际应用或即将应用的新工艺的介绍,使学生对船舶建造工作有一个整体认知,并可以从宏观的角度出发,对后续其他专业课程的学习奠定基础。

三、《船舶工程导论》教材单元设计

《船舶工程导论》共8章内容,分别为第一章　初识船舶——船舶工程概述;第二章始于想法——船舶设计;第三章　船舶骨骼——船体结构建造;第四章　实现功能——船舶舾装系统;第五章　船舶心脏——船舶动力设备及系统;第六章　点亮船舶——船舶电气系统;第七章　五彩缤纷——船舶涂装;第八章　完成任务——船舶下水、试验及交船。

本教材由渤海船舶职业学院黄晓雪、曹广博、岳宗杰及渤海造船厂集团有限公司吕雷编写,由渤海造船厂集团有限公司正高级工程师高文涛担任主审。本教材由渤海船舶职业学院黄晓雪担任主编并编写了第一,二,四,七章内容;曹广博担任副主编并编写了第三,五章的内容;岳宗杰担任编者编写了第六章内容;吕雷担任编者编写了第八章内容。在本教材的编写过程中,我们得到了渤海船舶职业学院的金璐和船厂的技术人员等同志的大力支持和帮助,在此一并致以衷心的感谢。

由于编者水平有限,存在疏漏之处在所难免,恳请广大同人批评指正。

编　者

2023 年 4 月

目　　录

第1章 初识船舶——船舶工程概述

把"一"字临摹到炉火纯青

明朝万历年间,中国北方的女真族经常犯边。皇帝为了抗御强敌,决心整修万里长城。当时号称"天下第一关"的山海关,却早已年久失修,城墙上"天下第一关"的"一"字,已经脱落多时。万历皇帝募集各地书法名家,希望恢复山海关的本来面貌。各地名士闻讯,纷纷前来挥毫,但是依旧没有一人的字能够表达"天下第一关"的原味。皇帝于是再下诏告,只要能够被选中,就可以获得重赏。经过严格的筛选,最后中选的竟是山海关旁一家客栈的店小二。

在题字当天,会场被挤得水泄不通,官家也早就备妥了笔墨纸砚,等候店小二前来挥毫。只见店小二抬头看着山海关的牌楼,舍弃了狼毫大笔不用,拿起一块抹布往砚台里一沾,大喝一声:"一!"十分干净利落地写出了绝妙的"一"字。旁观者都给予惊叹的掌声。有人好奇地问他,为何能够如此成功地写出这个"一"字。他久久无法回答,后来勉强答道:"其实,我家店正好面对山海关的城门,我只是在这里当了30多年的店小二,每当我在擦桌子时,我就望着'天下第一关'牌楼上的'一'字,一挥一擦,久而久之,就熟能生巧、巧而精通,就这样而已。"

数十年如一日的练习造就完美,熟练才能精通。因为热忱,所以能够投入强大的动力与能量;因为专注,所以能心无旁骛、勇往直前;因为热忱与专注,才能达到专业与精通的境界! 这就是工匠精神,船舶建造需要工匠,更需要"工匠精神"。

课程目标

1. 知识目标
(1)了解船舶建造发展史。
(2)掌握现代造船模式及船舶的建造流程。
(3)了解船厂部门的组成。
2. 能力目标
(1)能够理解现代造船的模式。
(2)能正确绘制船舶建造流程图。
3. 素质目标
(1)培养学生团队协作意识。
(2)培养学生社会责任感及工匠精神。
(3)培养学生分析问题、解决实际问题的能力。

诺曼底战役是目前为止世界上最大的一次海上登陆作战,通过各反法西斯国家的团结合作,获得了战役的胜利,此次海军投入作战的军舰约 5 300 艘,运输船 5 000 余艘。

这些舰船是怎样建造的? 怎样组织造船生产呢?

船舶建造是研究钢质船舶焊接船体和上层建筑的制造方法与工艺过程的一门应用学科。它是在综合采用各种先进技术和现代科学管理的前提下指导的实施过程,即如何把设计阶段经过试验和计算并按照规范设计绘制的船舶图样转变成实船,同时使船舶在正常技术指标的控制下确保其使用性能。

20 世纪 40 年代中后期,焊接技术在造船中的应用开创了船体分段建造;20 世纪 50 年代,国外造船发达的国家开始采用预舾装技术;20 世纪 50 年代后期,日本首先引进成组技术;20 世纪 60 年代,日本船厂开始对船体分道建造技术进行研究,并在 20 世纪 60 年代末 70 年代初应用于改造和新建船厂;20 世纪 70 年代初,涂装从舾装作业中分离,形成独特的涂装生产作业系统;20 世纪 80 年代,美国提出产品导向型分解、船体分道建造法、柔性生产计划系统等理论;日本与韩国的造船企业纷纷开展 CIMS 的研发工作,日本川崎重工的 KKARDS、韩国现代重工的 HICIMS 等都得以有效应用;20 世纪 90 年代,韩国船厂结合日本的先进造船方法和美国的造船系统理论,建立平面分段和曲面分段流水线,实现分道建造,造船总周期大大缩减。随着新一轮科技革命和产业变革兴起,船舶制造也正朝着设计智能化、产品智能化、管理精细化和信息集成化等方向发展,世界造船强国已提出打造智能船厂的目标。船舶工业是为水上交通、海洋资源开发及国防建设提供技术装备的现代综合性和战略性产业,是国家发展高端装备制造业的重要组成部分,是国家实施海洋强国战略的基础和重要支撑。为此,《中国制造 2025》指出把海洋工程装备和高技术船舶作为十大重点发展领域之一加快推进,明确了今后 10 年的发展重点和目标,为我国海洋工程装备和高技术船舶发展指明了方向。

1.1　船舶建造模式

模式指事物的标准形式,或可照着做的标准样式。对于复杂的造船工程,其标准形式或可照着做的标准样式指什么呢? 造船的方法多种多样,难求形式上的统一,而这并不影响寻求对组织造船生产的基本原则和基本方式的统一。

造船模式是指组织造船生产的基本原则和方式,它既反映组织造船生产对产品作业任务的分解原则,又反映作业任务分解后的组合方式;它体现船舶产品的设计思想、建造策略和管理思想三者的系统结合,并不反映具体的造船方法。

现代造船模式是指以统筹优化理论为指导,应用成组技术原理,以中间产品为导向,按区域组织生产,壳、舾、涂作业在空间上分道,时间上有序,实现设计、生产、管理一体化,均衡、连续地总装造船。

1.1.1 成组技术

成组技术是将具有相似特征或相似信息(包括形状、尺寸、材料、加工方式及所需设备的相似性)的事物按照一定的准则分类成组(族),用相同的方法进行处理,以使单件或中、小批量生产获取大批量生产的高效率的生产技术和管理技术。

工程分解原理和相似性原理是造船成组技术理论的两个基本内容,二者是不可分割的整体,既对立又统一地推动事物的发展。

工程分解的目的就是把一个复杂系统的总目标分解成特定任务的具体目标,把一个大空间工程分解成为若干个小空间工程,把一个长周期工程分解成为若干个短周期工程,把一个复杂的问题分解成若干个简单的问题,通过解决一个个简单问题,达到解决复杂问题的目的。

船舶产品按工程分解原理,其分解过程如下。

(1)按施工区域分解,把船舶产品分为机舱区、货舱区、上层建筑居住区三个大区域。根据船舶类型的不同,还可按其不同的空间部位划分其他区域。同时在划分的各大区域内可再划分为中、小区域。

(2)按工艺阶段分解,把船体建造划分为零件加工、部件(含组合件)装配(小组)、分段装配(中组)、分段组合(总组)、船台合拢五个作业阶段;舾装作业可分为单元、模块、管件等制作,托盘集配,分段舾装,总段舾装(总组),船内舾装五个阶段;涂装则可分为原材料处理、分段涂装、船台涂装和码头涂装四个作业阶段。

(3)按生产作业类型分解,把船舶建造分为船体(壳)、舾装(舾)、涂装(涂)三种不同作业性质的类型。

相似性原理是将许多各不相同的但又具有相似信息的事物,按照一定的准则分类组成,形成批量,使若干具有相似性特征的同一批量的事物采用相同的方法解决,达到节省精力、时间和费用的目的。在船舶制造业内应用相似性原理,就是将船舶生产的各种零件、部件等按照一定的相似性准则分类成组,并以这些"组"(批量)为基础,按流水作业方式组织生产各个环节,达到提高效率、降低成本的目的。

造船全过程就是两个原理交替应用的过程,如图1-1所示。

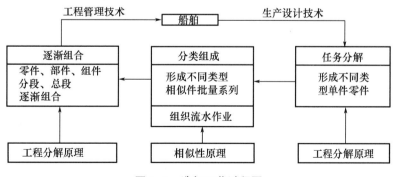

图1-1 造船工艺过程图

1.1.2 壳、舾、涂一体化

壳、舾、涂一体化造船法确立了以"船体为基础,舾装为中心,涂装为重点"的管理思想,是以中间产品为导向,按区域进行设计、物资配套、生产管理的一种先进造船法。壳、舾、涂一体化区域造船的基本模式如图1-2所示。

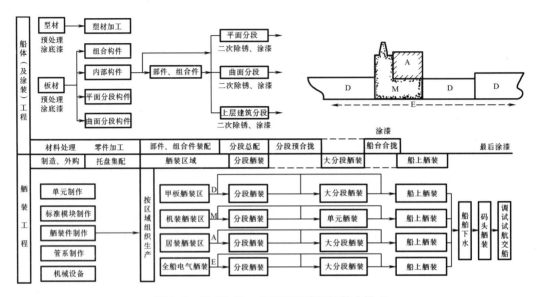

图 1-2 壳、舾、涂一体化区域造船的基本模式

1.1.3 设计、生产、管理一体化

现代造船模式贯彻按区域设计,以中间产品为导向,壳、舾、涂一体化,各设计阶段采用相互结合及设计、生产、管理一体化的设计原则。设计、生产、管理一体化示意图,如图1-3所示。

1.1.4 船舶智能制造新模式

随着国家智能制造战略的有序推进,新一代信息通信技术与现代造船模式深度融合,对现代造船模式在实现形式和内涵上将产生深刻影响和变化。实现现代造船模式向船舶智能制造模式的转型升级,构建船舶智能车间、智慧船厂成为船舶行业和造船企业今后的发展趋势。

船舶智能制造模式是基于新一代信息通信技术(云计算、大数据、物联网、人工智能、区块链等)与现代造船模式的深度融合,贯穿于船舶设计、生产、管理、服务等制造活动全过程,以单一数据源的设计、生产、管理一体化为基础,以船舶中间产品壳、舾、涂一体化关键制造环节的数字化、智能化为核心,以网络互联互通为支撑,以智能车间、智慧船厂为载体,具有船舶制造过程自感知、自决策、自执行、自适应特征的先进制造模式。

船舶智能制造模式主要由设计模式、生产模式、管理模式和服务模式构成。

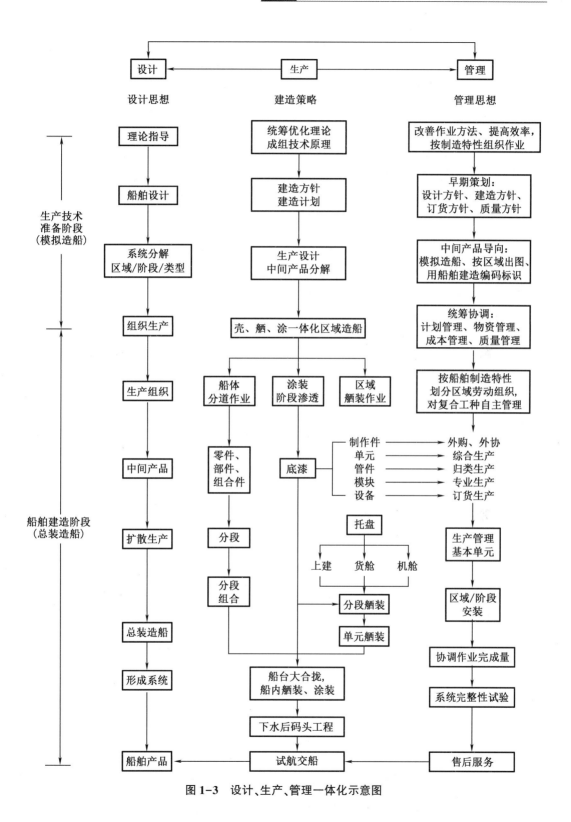

图 1-3 设计、生产、管理一体化示意图

设计模式:以采用模型定义技术的船舶产品设计、工艺设计标准规范体系为基础,以厂所协同设计平台为支撑,推进全三维综合数字设计,打通船舶总装厂与船舶所有人、设计院所、船舶检验机构、供应商的信息链条,实现以单一数据源贯穿于产品全寿命周期的整个过程,面向现场智能制造的三维可视化作业指导和无纸化施工。

　　生产模式:以数据和模型驱动为主要特征,以生产过程具备动态感知、数据自动采集、智能分析等功能的数字化、智能化生产装备、生产线、生产车间为主要载体,以制造执行系统为重要支撑,实现壳、舾、涂一体化精度制造。

　　管理模式:以工程计划为基础,以信息集成的一体化综合信息管理平台为支撑,以物联网、互联网和大数据等智能技术为手段,对船舶制造全过程、全要素实施实时智能管控,实现“物流、信息流、价值流”合一的量化精益管理。

　　服务模式:以优化完善造船产业链为导向,以造船产业链协同服务平台为支撑,以分布式技术、互联网技术、云存储技术、增强现实/虚拟现实技术、人工智能技术等为手段,对造船供应链管理、远程运维等业务进行优化完善,实现船舶所有人、设计院所、总装厂、船舶检验机构、供应商等整个造船产业链的多方协同服务。

1.2　船舶建造流程

1.2.1　船舶建造准备

　　船舶建造的准备工作包括技术准备、生产准备、材料与设备准备、工厂场地和设施准备、人员与管理准备。

　　1.技术准备

　　船厂根据设计图纸开工建造,其技术准备应该包括船舶建造技术、船舶舾装技术、船舶涂装技术、船舶焊接技术、船舶建造精度控制技术、船舶建造编码技术、船舶建造计算机应用技术,各技术互相支承、互相协调、互相补充,供船舶建造之用。

　　2.生产准备

　　造船生产准备是指产品开工前的准备工作,包括设计准备、工艺准备和计划准备。

　　3.材料与设备准备

　　生产单位应根据原材料、主要机电设备供应交货期表和大型铸锻供应交货期表,按计划向有关厂商进行订货。对到厂的材料和设备按技术要求和造船用材规范进行验收和入库保管。

　　4.工厂场地和设施准备

　　根据承建船舶的需要,对专用工装和工夹模具提前进行设计、制造和订货。对船厂原有的主要场地设施,如平台、船台、滑道、船坞、码头、起吊设施和动力供应等,应根据新造船的要求及特点进行必要的扩建或改造。

　　5.人员与管理准备

　　施工人员要提前做好保障安全、爱厂如家、敬业和团队精神等方面的教育。根据需要对应用新技术、新工艺和特殊工艺的有关人员以及计划补充人员分别进行技术培训,以保证建造任务的顺利完成。

1.2.2 船体放样和样板制作

船体放样是把设计好的船体型线图按照1:1的比例绘在地板上或运用数学方法编成程序输入计算机进行数学放样。在放样中,需光顺船体型线,修正理论型值,再绘制肋骨型线图进行结构放样,展开结构件和各种舱装件,为后续工作提供各种放样资料。

根据放样资料提供的数据来制造模板和样箱。

1.2.3 钢材预处理和号料

钢材预处理是对船体钢板进行机械矫平、喷砂、除锈和涂漆防护等作业。号料即钢板预处理后,利用草图、样板、样箱等放样资料,将放样展开后的各零件图的图样及其加工、装配符号画到平直的钢板或型钢上,这个过程称为号料。

1.2.4 船舶构件加工

号料后的钢材需进行下料分割(如图1-4所示),称为船体构件边缘加工。边缘加工是边缘的切割和焊接坡口的加工。边缘的切割是通过机械剪切(剪、冲、刨、铣)或火焰切割、激光切割、等离子切割等加工工艺方法来完成。坡口的加工是根据焊接和装焊技术的要求进行的。有些边缘如自由孔和人工孔是用砂轮打磨加工的。

图1-4 数控切割下料

有些构件经过边缘加工后需弯曲、折角、折边、成形,这种弯制成所需形状的过程称为船体构件的成形加工。成形加工是通过各种机械设备(如压力机、弯板机、折边机等)在常温状态下进行冷弯成形加工(如图1-5所示),少数复杂构件需在高温下进行热弯成形加工或采用水火弯制成形加工。

图 1-5 外板滚弯

1.2.5 中间产品制造

为缩短造船周期、降低成本、提高产品质量和改善生产条件,根据产品制造原理将船舶产品分解为若干不同制造级的中间产品,如部件、分段、大型分段、总段、舾装单元。再按相似性原理和制造级对它们分类成组,将它们按组(族)分别在相应的装焊成组生产线上进行制造,即分道建造。中间产品的制造顺序如下。

1. 部件装焊

由船体零件组合焊接成船体部件(如图 1-6 所示),如 T 型梁、板列、肋骨框架、主辅机基座、艏柱、艉柱、舵、烟囱等。

图 1-6 部件装焊

2. 分段装焊

由船体零件和部件组合焊接成船体分段,如底部分段、舷侧分段、甲板分段、舱壁分段、上层建筑分段、艏艉立体分段等。

3. 总段装焊

采用总段建造法时，将已装配好的分段和零部件组合焊接成总段，它包括底部、舷侧和甲板的环形段(如图1-7所示)。

图1-7　总段

分段及总段装焊结束后要进行船体密性试验，中间产品制造过程中还要进行相应的涂装和预舾装作业，满足区域造船法的壳、舾、涂一体化要求。

1.2.6　船舶总装

船舶总装将各装焊生产线上制造的中间产品吊运到船台上(或船坞内)，按规定的吊装顺序将中间产品组装成船舶，并按制造级完成船内舾装和船台涂装作业，在涂装作业前需进行大合拢后的船体密性试验。

1.2.7　船舶下水

当船舶建造完工后，将其从船台或船坞移至水中，此过程称为船舶下水。船舶下水方式很多，一般可分为三种方式：重力式下水、漂浮式下水、机械式下水。

1.2.8　船舶试验

船舶试验包括系泊试验、倾斜试验和航行试验，分两个阶段进行。

第一阶段是系泊试验和倾斜试验阶段。系泊试验是当泊于码头的船舶基本竣工，船厂取得用船单位和验船部门许可后，根据设计图纸和试验规程的要求，对船舶的主机、辅机、各种设备系统进行试验，以检查船舶的完整性和可靠性。倾斜试验是将船舶置于静力水区域进行倾斜试验，以测得完工船舶的重心位置。

第二阶段是海上航行试验阶段。该阶段由船厂、船东和验船机构一起进行。试航前，应备足燃料、滑油、水、生活给养、救生器具及各种试验仪器、仪表和专用测试工具。试航中应进行主机、辅机、各种设备系统、通信导航仪器的各项技术指标和各种航行性能的极限状况的试验,以测定是否满足设计要求。

1.2.9 交船

船舶各种试验结束后,船厂应立即组织实施试验中发现的各种缺陷的返修及拆验工作,同时对船舶及船上一切装备,按照图纸、说明书和技术文件逐项向船东交验。

当上述工作结束后,即可签署交船验收文件,并由验船机构签发合格证书,船东便可安排该船参加营运。

1.3 船厂部门组成

船厂内部设置多个部门及车间。一般船厂可分为设计部门、生产部门和管理部门。典型造船事业部组织架构如图 1-8 所示。

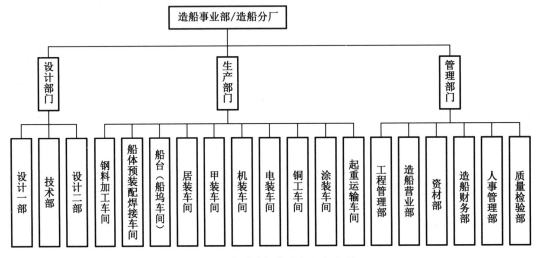

图 1-8 典型造船事业部组织架构

1.3.1 设计部门

设计部门负责船舶建造图纸的设计,为管理部门采购提供相应的订货清单、设备技术要求以及生产部门领料清单。设计部门可分为设计一部、技术部、设计二部等。

设计一部负责报价、初步设计和新产品开发;技术部负责技术信息研究、标准管理、电算开发和管理、技术档案管理;设计二部负责详细设计、转换设计和生产设计。

1.3.2 生产部门

车间是船厂生产的基本组成单位,按其生产对象或生产性质,可分为基本生产车间和辅助车间。目前船厂主要基本生产车间如下。

钢料加工车间:担负船体放样(小型船厂)、钢材预处理、号料及船体构件加工工作。

船体预装配焊接车间:担负船体部件、分段、总段的装配焊接工作。

船台(船坞)车间:担负船台(船坞)上的船体装配与焊接工作。

居装车间:担负船上木作绝缘的制作及安装工作。

甲装车间:担负甲板机械、门、窗、舱盖、烟囱、桅等的安装工作。

机装车间:担负船上主、辅机及其附件的安装和调试工作。

电装车间:担负船上电气设备的安装和调试、电缆的敷设等工作。

铜工车间:担负管件加工、管系及其附件的安装等工作。

涂装车间:担负分段二次除锈、涂漆和船上除锈、涂漆工作。

起重运输车间:负责船舶的上墩、下水、进坞以及船台滑道和码头区的起重运输作业。

船厂的辅助车间或部门,包括修理车间、工具车间、动力车间及焊接试验室等。

1.3.3　管理部门

管理部门负责生产技术准备,调度各种生产;工程管理部负责生产技术准备(含建造方针、施工要领的编制和监督控制,设备动力,产品成本控制等项的管理);造船营业部负责制定经营战略,进行市场调研、规划和合同谈判;资材部负责材料、设备的采购、验收、储运和保管,包括质量自检以及管子的加工;造船财务部参与编制船舶合同的建造报价,与银行、税务、财政等有关单位的接触等;人事管理部负责制定人力资源战略规划,建立并执行招聘、培训、考勤、劳动纪律等人事程序或规章制度;质检部门负责船舶建造质量检验,对船东及船级社进行报验。

上述部门及车间的组成,根据船厂的生产规模和生产性质的不同,可做相应的合并或扩展,也可根据生产要求相应增加或细分。

第2章 始于想法——船舶设计

船舶设计不当的问题不容忽视

某一天,一位渡轮的船长坐在控制台旁的椅子上,他正在全神贯注地驶向码头,突然间海水开始从玻璃窗上倾泻而下,前方的挡风玻璃刮水器忽然乱动起来,两个雷达也出人意料地黑屏了,紧接着一起可怕的事故就发生了。这艘渡轮经历了一场"硬着陆",并且撞坏了泊位。后来调查人员发现,之所以发生事故,是因为船长的膝盖无意间碰到了控制台下面的一个开关,而这个开关根本就安错了地方。或许有人会说,船长本来应该更加小心谨慎,事故成因中还有其他显而易见的"人为因素"。但是别忘了,这是一艘几乎全新的渡轮,而船舶设计者将开关放在了一个非常脆弱的位置。

此次事故发生后,调查人员在事故报告中列出了近期发生的一系列由于船舶设计原因导致的其他事故。在其中一场事故中,机舱集控室内一名经验较浅的轮机员一不小心碰到了模拟图并且关掉了船舶主机,当时它位于驾驶台控制系统下方。此次事故导致船舶在一条河中严重搁浅。在另一起事故中,一艘船因为驾驶台上的某个人移动了"未保护的操纵杆"而发生事故,而在黑暗中行走的人很容易撞到这个操纵杆。

以上所有事故中出现的问题都是完全可以预见的,相关设备原本可以精心设计,让使用者不至于陷入困境,所以通过事故我们不难发现,在船舶设计过程中一定要培养精益求精的工匠精神。

思考:同学们从案例中学到了什么?

课程目标

1.知识目标

(1)掌握船舶设计的基本概念。

(2)理解船舶设计三个阶段的内容。

2.能力目标

(1)正确划分现代船舶设计的三个阶段。

(2)能对船舶生产设计的内容进行分类。

船舶在建造之前要经历哪些设计阶段呢?

2.1 船舶设计的特点和要求

2.1.1 船舶设计的特点

船舶是一种水上建筑物,具有环境条件特殊、类型多、系统复杂、技术含量高、投资巨大、使用周期长等特点。因此,船舶设计必须持认真、慎重的态度(图2-1)。

船舶的种类很多,就民用船舶而言,有运输类船舶、工程类船舶、观光旅游类船舶以及特种用途类船舶。其中运输类船舶有散货船、集装箱船、滚装船、运木船、多用途货船、冷藏船、油船、化学品船、液化气体船、客船、车客渡船、拖船、驳船等各型船舶。每种船舶的设计都有各自的特点,每艘船舶都是由许多部分组成的一个大系统。通常,自航运输船舶至少由以下各部分组成:

船体与结构——具有支持全船重力的浮力;满足装载和安装各种设备所需的容积和地位;有优良的各项性能(如稳性、快速性、分舱破舱稳定性、耐波性等);其结构能保证水密完整性,必要的强度、刚度以及能避免发生有害的振动。

主机与控制——推动和控制船舶以不同的航速航行。

舵装置——控制船舶的航向。

电站——发电和配电,向船上各种用电设备供电。

助航和通信——确定船位,避免碰撞,保持对内和对外的通信联络。

船体开口的关闭装置——保证船体开口能处于关闭状态,以确保船舶和货物及人员的安全。

货物装卸和配载——把货物高效、合理地装进或卸出货舱。

消防——限制火灾蔓延的防火分隔,探知火灾发生并报警以及一定的灭火能力。

救生——船舶遇难时,船上人员自救和营救落水人员的工具和措施。

锚泊和系泊——保持船舶在锚地和码头边停泊时的船位。

防污染——控制油类和其他有害物质对环境的污染。

生活设施——保护和维护船上人员生活的舱室和设备。

以上各部分的设计涉及多门专业。船舶设计是分专业、分部门协调完成的。通常船舶设计分为船体、轮机、电气三大专业(不包括各种通用设备产品的设计),其中船体又分为总体、结构和舾装设计三大部分。以上各专业和部分的设计工作相互间的关系如图2-1所示,其中总体设计与其他各部分的设计都有密切的关系。总体设计工作主要包括:主要尺度和船型参数的确定、总布置设计、型线设计、各项性能的计算和保证。

根据以上所述可知:一艘船是由许多不同功能的部分组成,各部分既是一个独立的系统,相互间又有密切的联系;设计工作是由多种专业合作协调完成的。因此,船舶设计的特点是必须贯彻系统工程的思想,考虑问题要全面,决策时要统筹兼顾;在总体设计中一定要处理好主要矛盾和次要矛盾的关系,要协调好各部门的工作,既要使船舶的各部分充分发挥自身功能,又要使相互关系达到最佳的配合;设计工作是由粗到细,逐步近似,反复迭代完成的,船舶设计也可以说是一个多参数、多目标、多约束的求解和优化问题。例如,最初粗估的船舶主尺度完全可能是不符合各项要求的,只有通过反复迭代,逐步近似的设计过程来校验和修正,才能得到最终的可靠结果。

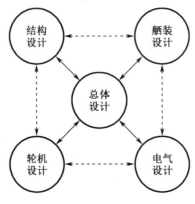

图 2-1　船舶设计关系图

2.1.2　船舶设计的基本要求

船舶设计是一项涉及面很广的复杂工作,对设计的要求也是多方面的。下面从一般意义上归纳船舶设计的一些基本要求。

1. 适用、经济

所谓适用是指船舶能满足预定的使用要求。对运输船舶而言,主要是保证运输能力和提高运输质量,如装载能力、航速、装卸效率等;对于专用的作业船舶和海洋平台,要具备完成特定的施工或作业的能力,并能保证作业质量。此外,船舶的航海性能、操作、船员的生活设施等也是影响适用性的重要因素。保证船舶的适用性是设计中处理各种矛盾时首先要考虑的因素。

提高船舶的经济性是设计工作的重要目标。船舶的经济性涉及三个基本要素,即建造成本、营运开支和营运收入。设计中的技术措施是否恰当,决策是否正确,对船舶的经济性会产生很大的影响。设计工作中必须把经济性放在十分重要的地位来考虑。有时,一项好的技术措施可能会节约大笔的投资。但是,一般来说,设计中经常遇到的是技术性和经济性相互矛盾的情况,这就需要进行技术与经济的综合评估或论证,使之得到合理的统一。纵观现代船舶的发展、新船型的出现和新技术的采用,无一不是受经济因素的刺激。经济性是技术发展的基础和动力,技术是实现经济目的的手段和工具,两者相互渗透,相互推动。

2. 安全、可靠

船舶的安全是关系到人身财产以及环境污染的重大问题。因此,安全性是船舶的一项基本质量指标。为保证船舶的安全,政府相关主管部门制定了船舶设计和建造的法规,国际组织(如 IMO——国际海事组织)通过政府间的协定,制定了各种国际公约和规则。这些法规、公约和规则对船舶的安全措施提出了全面的要求。政府法规是强制执行的,凡是船籍国政府接受、承认或加入的国际公约和规则都纳入在法规之中,船舶设计必须满足这些法规的要求。此外,入级船舶还要满足船级社制定的入级与建造规范,规范的规定主要也是基于船舶安全方面的考虑。总之,船舶设计中必须严格遵守法规和规范的规定,满足法规和规范的要求,这是保证船舶安全的最基本的措施。

应该指出,在实践中船东为了降低造价,往往希望减少或免除某些安全方面的设备。设计者在设计中,既要考虑造价的因素,又要保证船舶的安全性,应至少满足法规和规范的最低要求。因此设计人员对法规和规范必须认真研究,熟悉、掌握各项规定,对这些规定的基本精神也要加深理解。

此外,船舶设计中的可靠性问题也必须加以重视。船舶使用周期长,船上重要设备和部件的可靠性对安全性和经济性影响很大。某些设计或设备虽然能满足有关规定,但其可靠性仍可能有很大差别,因此在设计方案的优选和设备的选用中,对可靠性问题要给予充分重视。

2.1.3　船舶设计的先进性和完美性

设计的船舶要具有先进性,设计的结果要追求完美性。先进是指性能优良、技术和装备先进;完美是指矛盾处理恰当、问题考虑周到、布置有序、造型美观。

在船舶设计中,结合船型特点采用先进的技术和装备可以改善船舶性能,提高船舶的质量和经济效益。例如,采用优秀的船体型线和有效的节能装置可以提高船舶的快速性,达到节能的效果;先进的控制设备可以提高船舶的自动化程度等。当然,先进设备的采用有一个性能价格比的问题,选用中要综合考虑。

船舶总体的布置除了要考虑功能以外,造型美观也是要考虑的一个重要方面。随着生活水平和文化修养的提高,人们对美观和舒适的要求越来越高,那么船舶的设计就要求新、求美。有人说"看上去好的船才是好船"。这当然是夸张的说法,但在评价一项设计时,直观的感觉无疑起着重要的作用。一项完美的设计会给人耳目一新的感觉,是一种艺术的享受。

总之,设计工作者要不断学习和创新,吸取各种新的技术和科研成果,扩大知识面,提高自身的艺术修养,推陈出新,这样才能设计出一艘优秀的船。

2.2　船舶设计工作方法

设计工作与科学研究工作不同,科学研究是发现事物性质,设计是发明事物,即通过主观对客观的适应而创造人为事物的工作。设计是一种技术实践活动,目的是解决所面临的问题。设计除了需要科学知识以外,还需要工艺和技巧方面的知识。设计工作的过程如同一般事物的发展一样,总是不断地从肯定走向否定再到肯定,具有螺旋式上升的特点。从一般意义上总结船舶设计的工作方法有以下几个方面。

1. 调查研究、搜集资料

船舶设计工作的许多经验教训证明,不重视调查研究,没有正确领会用船部门的意图和要求,不掌握有关的实际情况,设计工作常常徒劳无功,甚至失败。船舶设计如果没有足够的技术资料,工作将很难开展,即使勉强地完成,也很难设计出一艘成功的好船。因此,进行深入的调查研究,全面地搜集资料,是做好设计工作的基础。

调查研究的主要内容包括:

(1)用船部门的意图和要求。船东从决定建造一艘新船到制定出设计技术任务书常常有一个很长的反复过程。这个过程反映了客观情况的不断变化和人们认识的不断深入与更新。设计人员从接到设计任务起,首先应该详细地了解用船部门对新船的任务、使用的具体要求、设计的原则以及各种客观因素对新船的限制等情况,也就是对任务书中各项要求的背景情况和资料进行调查,弄清这些要求的来龙去脉,这样方可使设计真正做到有据可依,有源可寻。

(2)相关方面的情况。与新船相关方面情况的调查内容也有很多,需要针对新船的特点来进行。一般来说,包括航线、航道、港口、码头、建造、维修,等等,这些都与新船主要要素等重大问题的决定有关,需要掌握相关的详细资料。此外,市场信息对设计者也非常重要,货源的波动、运费的涨落、燃料价格的变化、材料设备的变更等都直接影响船型方案的选取。

设计工作所需的技术资料是保证设计工作顺利开展和进行的必要条件,也是保证设计质量的重要因素。搜集资料的内容包括参考型船的资料、与设计新船有关的新技术成果、船用设备的样本及供应情况等,其中参考型船的资料十分重要。型船的资料包括主要要素、载重量、舱容、航速、主机参数、重量重心、总布置图、型线图、船模及实船试验资料等。对于船舶总体设计来说,型船的重量重心资料特别重要,在可能的情况下重量重心资料越详细越好,至少应有船体钢料、机电设备、舾装设备三大项的分类资料。此外,同类船的各种统计资料也很必要。以上这些资料在平时工作中就要注意随时搜集和整理,丰富的技术资料是设计人员的宝贵财富。

2.综合分析、合理解决

船舶是一个复杂的系统,设计中会出现很多矛盾。例如,船舶各项技术性能之间、安全性与经济性之间,其对设计的要求常常是矛盾的。设计工作的一项重要内容就是通过系统的分析、综合的考虑,进而对问题提出一个合理的解决方案,设计人员应具备这方面的能力。设计工作中矛盾是不可避免的,但矛盾之间也存在互相依存、互相转化的统一关系,要在综合分析的基础上,抓住主要的矛盾,有侧重、有兼顾地考虑问题,从而找出解决问题的合理途径。在这里,我们要强调综合分析的重要性。

在船舶设计工作中,无论是全局性的总体设计还是某项局部设计,若出现了问题只是就事论事地加以修改,而不顾前后左右的影响,这样往往会引起其他的甚至更大的问题。综合分析,就是强调考虑问题要全面周到,要弄清前因后果,不要顾此失彼,这一点要给予充分的重视。有人认为,船舶设计是多方妥协的产物,这不无道理,但如何折中、如何妥协却大有文章可做。解决问题的方法可能有许多种,但最合理的就需要设计者综合分析。设计工作中还要注意和加强与各专业、各部门之间充分的协商和协调。许多时候,设计中出问题的往往是在各专业和部门之间的交叉和衔接的地方。

3.母型改造、推陈出新

现有船舶是人们造船和用船经验的结晶,也是科学技术不断发展的成果。某一类型船舶的发展和演变过程,存在着由它们的使用任务和要求所决定的共性问题,这就决定了这类船舶必然具有许多相近的技术特征和内在规律,这些特征和规律也是人们合理解决船舶设计中众多矛盾的结果。合理地吸取和利用这些经验和规律,可以减少盲目设计,使新船设计有较可靠的基础,这就是船舶设计中经常采用的母型改造法的理论依据。

母型改造设计方法中,母型的概念是广泛的。一方面,与新船在主要技术性能方面相近的优秀实船,是最直接的母型,这种经过实践考验的母型船资料可以使设计者比较容易地把握新船的主要性能和改进的方向;此外,经过模型试验研究的优良船模资料也是母型。另一方面,与新船同一类型船的统计资料是设计中常用的资料。这些资料虽然代表的是统计船的平均值,但却反映了这类船的一般规律和趋势,因此可作为设计新船的一般指导。

设计中选用的母型船,不是限于某一艘船,而是根据所需可以选用不同的母型。例如,在快速性方面选择甲船为母型,重量估算方面可参考这方面优秀的其他船,而布置方面又可吸取另一艘船的经验,等等。总之选用母型的标准一是相近,二是优良。用母型改造法设计新船要突出一个改造,即在参考母型的过程中要有所改进和创新。

母型改造设计方法不是一种简单的拼拼凑凑,而是设计者根据新船的特点和要求,在熟练掌握船舶设计原理和方法基础上的创造性工作。每一艘新船都有其特殊性,不加分析地生搬硬套会导致设计工作的失败,没有创新和改进也不可能产生更优良的新船。因此,设计者必须结合新船的要求和特点,考虑新技术、新设备、新工艺、新材料在新船上的应用,做到在设计中有所创新,有所发展。

我们在强调用母型改造法设计新船的有效性和可靠性时,并不排斥运用全新概念的新船设计,特别是在新船型开发设计中,会遇上根本不可能找到合适的完整的母型船资料。在这种情况下,往往要采取边研究、边试验、边设计的方法。通常的做法是,首先对新船的特点加以研究,形成一个初步方案后,开展相对深入的方案设计工作,然后对设计结果进行必要的试验,以验证设计的正确性并寻找改进的方向和方法。在此基础上再进行下一个循环的设计、试验和研究工作。新船型的开发都需要这样一个相对漫长的过程。

4.逐步近似、螺旋上升

我们在叙述船舶设计特点时提到,船舶设计是经过逐步近似,反复迭代完成的,其原因是船舶设计是一项复杂的系统工作,涉及许多方面和因素,它们相互交叉,相互影响。设计者对新船的认识有一个由表及里,由浅到深的过程。因此,船舶设计工作也有一个与其相适应的工作方法和程序。通常设计工作是分阶段完成的,不同设计阶段中所考虑的问题是有所重复的,但重点和详细程度不同,考虑因素的多少不同,工作的深度和侧重不同。在不同设计阶段中对同一方面的工作不是简单的重复,而是一个逐步近似,螺旋上升的过程。有人形象地将船体设计的逐步近似过程用螺旋线的方式表达出来。当然,螺旋上升的每次重复过程中并非需要对每个步骤都要开展深入的工作,而是根据具体情况有侧重、有简要,也有省略的进行。

2.3 船舶设计阶段划分和工作内容

船舶设计是指根据设计任务书(由船东提出)的要求,通过调查分析、计算、绘图等工作,从选择船的尺度、线型、结构、动力装置、设备以及其他技术要素等,直至做出船舶建造和使用中所需的全部图样和技术文件的过程。广义上说,船舶设计也包括设计任务书的制定(经济论证),还包括船舶的完工文件以及投入运营后实践效果的反馈等工作。

船舶设计流程(如图2-2所示)主要分为三个阶段。

(1)初步设计:解决"造什么船"的阶段,对船舶总体性能和主要技术指标设计,确定船舶的主要参数、结构形式等问题。

(2)详细设计:具体解决"造什么船"的阶段,解决设计中的基本和关键技术问题。

(3)生产设计:解决"怎样造船"的问题,编制建造方案书、方针书等,绘制记入各种工艺技术指示,提供生产信息文件。

另外,设计不但要解决"造什么船"的问题,还要由设计解决"怎样造船""怎样组织造船""怎样合理地组织造船"的问题。

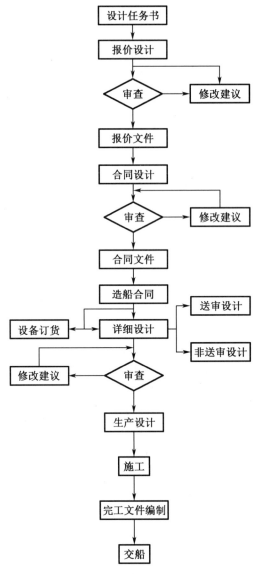

图2-2　船舶设计的流程

2.3.1　合同设计

合同设计(也称初步设计),从收到船东的设计任务书或询价开始,进行船舶总体性能和主要技术指标、装置、各系统原理的设计,即船舶总体方案的设计。初步设计的内容包括详细的技术规格说明书、总布置图、中横剖面图、机舱布置图、主要设备厂商表等。作为签订合同的依据,初步设计完成之后,就为签订造船合同谈判提供了必要的图样和技术文件,又为进行详细设计提供了必需的技术条件和依据。

1. 主尺度

船体主尺度是表示船体外形大小的基本数据,通常有以下几个参数,如图2-3所示。

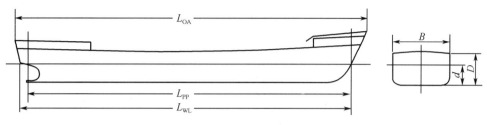

图2-3 船体主尺度

(1)总长(L_{OA}):包括上层建筑在内的船体型表面最前端和最后端之间的水平距离。

(2)设计水线长(L_{WL}):设计水线与艏艉轮廓线交点之间的水平距离。

(3)垂线间长(L_{PP}):艏垂线与艉垂线之间的水平距离。艏垂线是通过设计水线与艏轮廓线的交点所做的垂线。艉垂线是通过设计水线与舵杆中心线(或舵柱后缘)的交点所作的垂线。

(4)型宽(B):船体型表面之间垂直于中线面的最大水平距离。

(5)型深(D):在船的中横剖面处,甲板边线(无特殊说明,通常指上甲板边线)至基线间的垂直距离。

(6)吃水(d):在船的中横剖面处,设计水线至基线间的垂直距离。

(7)干舷(F):$F=D-d+t$,t指甲板厚度。

2. 船型系数

船型系数能进一步表明船的几何特征,同时又与船舶的航行性能紧密联系。常用的船型系数如下所述。

(1)水线面系数 C_W

C_W 的大小表示水线面的肥瘦程度。它是与基平面相平行的任一水线面的面积 A_W 与水线长 L_{WL}、船宽 B 所构成的矩形面积之比,如图2-4所示。

$$C_W = \frac{A_W}{L_{WL}B}$$

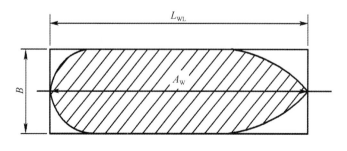

图2-4 水线面系数

（2）方形系数 C_B

C_B 反映了船体水下部分肥瘦程度,是排水量和各主要尺度间的纽带,它表示船舶在水线以下的船体体积 ∇ 与水线长 L_{WL}、船宽 B、吃水 d 乘积的比值,如图2-5所示。

$$C_B = \frac{\nabla}{L_{WL}Bd}$$

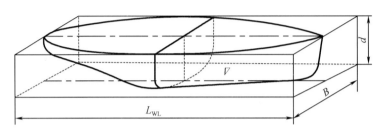

图2-5　方形系数

（3）纵向棱形系数 C_P

C_P 的大小表示船体水下型排水体积沿船长方向的分布情况,如图2-6所示。棱形系数即为船体水线以下的型排水体积 ∇ 与相对应的中横剖面面积 A_M、水线长 L_{WL} 所构成的柱体体积之比,即该式反映了 C_P 与排水体积的关系;当 L_{WL}、∇ 为定值,C_P 增大,则 A_M 减小,表示排水体积沿船长方向的分布较均匀,艏艉丰满;当 C_P 减小,则 A_M 相应增大,表示排水体积在船中部较集中,艏艉削瘦。

$$C_P = \frac{\nabla}{A_M L_{WL}}$$

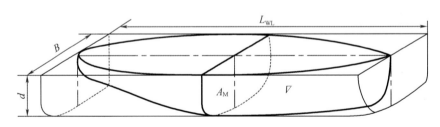

图2-6　纵向棱形系数

（4）中横剖面系数 C_M

C_M 的大小表示中横剖面的肥瘦程度,是中横剖面在水线以下的面积 A_M 与船宽 B 和吃水 d 所构成的矩形面积之比,即 C_M 对阻力的影响很小,所以在确定时应考虑与其他船型系数配合为主,如图2-7所示。

$$C_M = \frac{A_M}{Bd}$$

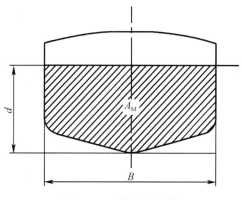

图 2-7 中横剖面系数

2.3.2 详细设计

详细设计是根据造船合同确认的初步设计及修改意见书进行的,其基本内容是提供船级社规定送审的图纸和技术文件;提供造船合同中规定中船东认可的图纸和技术文件;提出船厂订货所需的材料、设备清单;为生产设计提供所需的图纸、技术文件和数据。初步设计和详细设计都属于解决"造什么船"的问题,图纸文件表达的都是产品最终的完工状态,也就是对"产品"的设计。该阶段的设计内容是在上一阶段的总体设计基础上,对各个局部的技术问题进行深入分析,开展各个分项目的详细设计和计算,调整和解决船、机、电各方面具体的问题和矛盾,最终确定新船的技术性能、结构强度、各种设备、材料以及订货的技术要求等。以下主要对船体板架结构的骨架形式和船体结构形式进行简要的介绍。

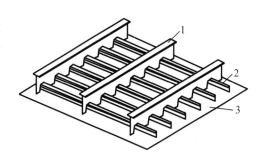

1—桁材;2—骨材;3—板。
图 2-8 板架结构

1. 船体板架结构的骨架形式

船体板架结构通常是由板和纵横交叉的骨材和桁材组成,如图 2-8 所示。较小的骨材数目多,间距小;较大的桁材数目少而间距大。根据较小骨材布置的方向,板架结构可分为纵骨架式、横骨架式和混合骨架式三种类型。

①纵骨架式

此结构是数目多而间距小的骨材沿船长(纵向)方向布置。其优点是多数骨材纵向布置增加了船梁抵抗纵向弯曲的有效面积,提高了船梁的纵向抗弯能力,增加了船体总纵强度;缺点是施工比较麻烦。

②横骨架式

此结构是数目多而间距小的骨材沿船宽(横向)方向布置。其优点是多数骨材横向布置横向强度较好,施工比较方便,建造成本低;缺点是在同样

纵骨架式甲板分段生产设计图

纵骨架式甲板分段生产设计图

受力的情况下,外板和甲板的厚度比纵骨架式的大,结构质量较大。

③混合骨架式

此结构是纵横方向的骨材相差不多,间距接近相等。这种骨架式除了有特殊需要,一般很少用到。

横骨架式双层底
分段生产设计图

横骨架式甲板
分段生产设计图

2. 船体结构形式

船体是由钢板和骨架组成的长箱形结构,整个船的主体可分为若干板架结构,甲板板架、舷侧板架、船底板架和舱壁板架等。各个板架相互连接,相互支持,使整个主船体构成坚固的空心水密建筑物。

①单一横骨架式船体结构

它是指上甲板、船底和舷侧均为横骨架式板架结构的船体结构形式。对船体总纵强度要求不高的一些小型船舶和内河船多为此种骨架形式。

②单一纵骨架式船体结构

它是指上甲板、船底和舷侧均为纵骨架式板架结构的船体结构形式。对船体总纵强度要求较高的军舰、大型油船及其他大型远洋货船等采用此种结构形式。

③混合骨架式船体结构

它是指上甲板和船底采用纵骨架式板架结构,而舷侧和下层甲板采用横骨架式板架结构的船体结构形式。此种结构船舶的首尾端及机舱区采用横骨架式结构,根据弯矩和弯曲正应力在船体上的分布特点,这样做是合理的。一般杂货船、散货船等大中型船舶采用此种形式。

2.3.3 生产设计

1. 生产设计的性质和含义

从施工的立场出发,通过设计的形式,考虑高质量、高效率、短周期、确保安全地解决"怎样造船"与"怎样合理地组织造船生产"的一种设计,是对产品"生产方法和过程"的设计。

它是在确定船舶建造方针的前提下,以详细设计为基础,根据船厂施工的具体条件,按工艺阶段、施工区域和单元,绘制记入各种工艺技术指标和各种管理数据的工作图、管理表,以及提供生产信息文件的一种设计。

2. 船舶生产设计的内容及分类

按工程类别分,船舶生产设计包括两部分内容:船体生产设计和舾装生产设计。

(1)船体生产设计内容

船体生产设计包括从船体放样、零件加工、结构预装配、船体总装作业的一切设计工作。具体工作为:型线放样、结构放样、工作图和管理表的绘编。

船体生产设计工作图表的主要内容如图2-9所示。

(2)舾装生产设计的主要内容

舾装生产设计分为船装、机装和电装生产设计。

在设绘舾装综合布置图的基础上进行单元划分,将某一个区域的综合部件、管路分为若干单元和现场安装的零件,包括设绘舾装件制作图、单元组装图、分段舾装图、船上舾装图、托盘管理图表等,如图2-10所示。

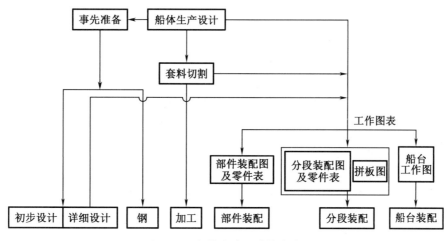

图 2-9 船体生产设计的内容

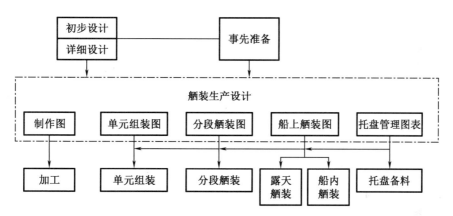

图 2-10 舾装生产设计内容

托盘作为一个具象的概念,它是一个器材集配单位,提供某建造区域舾装件制作所需的原材料清单;或是把属于某建造区域内加工制作好的舾装件(图 2-11),集中存放在一个可移动的平台(或铁篮子里),以便传送到相应的建造区域。作为一个抽象的概念,它是一个作业单位,资材集配作业工作量;也可以表示舾装施工区域的范围、作业量、方法和要求等。托盘管理指每个需要安装舾装件的施工区域都有一个与之对应的托盘,并以托盘为单位组织生产、物资配套以及工程进度安排的一种科学的生产管理方法。

舾装生产设计按专业细分包括船装、机装和电装。其中,船装生产设计可划分为内装、外装、管装、涂装四个方面。内装是以居住舱室为主的室内舾装生产设计;外装是指舱室外全船各层甲板的舾装生产设计;管装是指除机舱以外的全船性管系舾装;涂装是指全船的除锈处理生产设计。机装生产设计通常指机舱前端壁到机舱后端壁的纵向范围、机舱底到烟囱的竖向范围中的管子舾装,钢铁质舾装件舾装和主机轴系舾装三大部分的生产设计。电装生产设计主要指全船电气设备的制作、安装的生产设计。

图 2-11　舾装件

2.3.4　船舶智能设计

船舶行业已有数百年的历史,随着设计手段不断发展进步,船舶数字化设计已逐步取代其他设计方式。在船舶数字化设计的最初阶段,设计人员摆脱了手工绘图,设计数据也转变为二维、三维的虚拟数据,设计效率有了很大的飞跃,目前的船舶设计已开始向数字化设计转型。

在船舶设计过程中,往往会有很多规律可循,从船型开发到详细设计,再到生产设计,许多环节可以采用标准化搭配的形式进行构建。智能化模型匹配是指根据用户需求建立数学模型,通过对数学模型的模糊延伸,在数据库中进行匹配,并对匹配的结果进行最优化筛选。经过多年船舶设计积累所形成的船型数据,是船舶设计初期必须参考的重要经验,每个专业的设计者在遇到选型的问题时,是否能高效地查找到最匹配的所需部件、设备作为参考,对初期设计和船舶接单有较大影响。

新一代船舶设计软件使船厂可以根据自身特点将需要人工重复作业的内容进行程序的二次开发,再通过二次开发后的程序进行替代作业。该类智能化是以各种嵌入式的程序软件为基础,以详细设计和生产设计中各个阶段的机械式重复作业作为研究目标,以实现建模自动化、设计过程自动化、工艺自动化、出图自动化、物量信息统计自动化等功能。

目前,我国在船舶智能设计方面的推进力度很大,也取得了很大突破。我国的船厂也在努力打造船舶制造智能化设计生产线。以信息技术和制造业深度融合为重要特征的新科技革命和产业变革正在孕育兴起,多领域技术突破和交叉融合推动制造业生产方式的深刻变革,制造业的数字化、网络化、智能化已成为未来技术变革的重要趋势。船舶设计加快向数字化、网络化、智能化转变,柔性制造、智能制造等日益成为世界先进制造业发展的重要方向。船舶制造也正朝着设计智能化、产品智能化、管理精细化和信息集成化等方向发展。

船舶设计思维导图如图 2-12 所示。

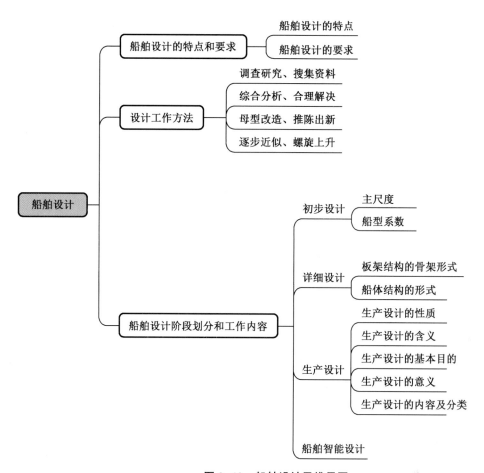

图 2-12 船舶设计思维导图

第3章　船舶骨骼——船体结构建造

在钢板上"绣花"的"大国工匠"——张冬伟

把薄如纸的一张张殷瓦钢焊接得天衣无缝，是世界焊接领域的一个技术高峰，也是许多电焊工梦想攀登却又很难掌握的技能。可是一个技校毕业生，工作仅仅10多年，就攀上了这个技术高峰，他就是"全国技术能手"，沪东中华造船（集团）有限公司总装二部，有着众多头衔的"80后"——张冬伟。

液化天然气船（简称LNG船），建造难度大、技术复杂，被称为造船业"皇冠上的明珠"。其中最重要的核心部件的焊接——液货维护系统的殷瓦钢焊接是最为关键的。殷瓦钢厚度仅为0.7 mm，一艘船的总焊接长度130多千米，虽然90%使用机器自动焊接，但仍有十几千米的繁难焊缝需要人工完成。

殷瓦钢特别娇气，手直接触摸或沾上汗液，都会令其生锈。因此，焊接必须像"绣花"一样小心翼翼，才能达到质量标准。短短几米长的焊缝，需要焊接五六个小时，哪怕一个针眼大小的漏点，都会导致液化天然气从船舱泄漏，就可能造成船毁人亡的灾难。

因此，殷瓦钢焊接对技术要求极高，尤其对焊接工人的耐心和责任心是一个极大的考验。2005年，张冬伟成为第一批接受训练的LNG船焊工。张冬伟第一次看到法文版LNG船焊接资料时，倒吸了一口冷气，世界上居然有这么难的焊接技术？可他的倔劲也上来了，发誓一定要早日把殷瓦钢焊接技术学到手。

除了吃饭、睡觉，就是练习、练习、再练习，思考、思考、再思考，张冬伟不断提高殷瓦钢焊接技术，他坚信外国人可以掌握，中国人也一定行！他的师父秦毅不是已经成了中国LNG船殷瓦钢焊接G证证书第一人？"我应该也要做到，否则就不配做他的徒弟。"于是，张冬伟整天"粘"在师父身边，仔细观察他的一举一动，连最小的细节都不敢忽略。比如，焊接时经常需要添加焊丝，师父那些手势看似简单，却配合得"天衣无缝"，让人叹为观止。张冬伟晚上做梦都是师傅的一招一式。他早也练、晚也练，家里人都说他"走火入魔"了。

对一个殷瓦钢焊工来说，最大的挑战是稳定自己的心理状态，而这个状态的控制不是能够轻易做到的，张冬伟就总有办法让自己在端起焊枪时平心静气。焊完一条3.5 m长度的焊缝需要整整5 h，在这连续的5 h里，张冬伟心如止水、手如拂羽，这与他平时沉稳内敛的性格大有关系。

在殷瓦钢焊接这个十分艰苦和枯燥的岗位上,张冬伟正是靠着远超其年龄的耐心和韧性,找到了工作的极大乐趣。如今,他已经和大家一起成功建造了 10 艘 LNG 船,书写了"大洋上的中国荣耀"。未来,他还将继续磨砺,只为让"中国制造"更加闪亮。

思考:同学们,读过张东伟的事迹,你收获到了什么呢?

课程目标

1. 知识目标
了解船舶建造的基本内容。
2. 能力目标
(1)掌握船舶技术准备的内容。
(2)掌握船舶生产准备的内容。

3.1 建造准备

"21 世纪是海洋世纪",中国将实现中华民族的伟大复兴,也将成为海洋强国。为此,我们每一个从事船舶建造行业的人员都要为此目标而时刻奋斗。船舶建造工作是一个复杂的项目,事先要从各方面进行一定的准备,包括技术准备、生产准备、材料与设备准备、工厂场地和设施准备、人员与管理准备。

3.1.1 技术准备

根据设计图纸,船厂开工建造,其技术准备应该包括船舶建造技术、船舶舾装技术、船舶涂装技术、船舶焊接技术、船舶建造精度控制技术、船舶建造编码技术、船舶建造计算机应用技术,各技术互相支承、互相协调、互相补充,有机结合为一体供船舶建造之用。

在船舶建造技术当中,目前应用比较广泛的是船体分道建造技术,它是现代造船模式的重要组成部分,是现代造船模式的基础技术;同时,与船体分道建造技术相关的是区域舾装技术、区域涂装技术、高效焊接技术、信息控制技术及精度控制技术,这些技术的顺利应用离不开船体建造技术。船体分道建造技术在很大程度上决定了舾装、涂装及高效焊场的场所、时间、范围、内容和效果,按照分道的原则,各项施工作业有机结合有利于实施空间分道、时间有序,壳、舾、涂一体化的现代化造船。

分道建造技术是以成组技术为理论基础,根据相似性原理,以中间产品为导向,按系统部件、多系统模块、分段和总段的建造过程,合理配置场地、设施、人员,组成几个相对独立并最大限度平行推进作业的生产单元,形成逐级制造的设计、作业和管理一体化的船舶造新的工艺流程。可以这样说,船舶建造技术——分道建造技术是其他技术的龙头,它同时也包含了其他技术,因此我们在进行技术准备当中,一定要综合考虑,否则就得不到我们预想的结果。

3.1.2 生产准备

造船生产准备是指产品开工前的准备工作。它的任务就是根据生产要素进行充分的准备,以保证产品按时开工并在开工后能连续有效地进行造船生产。

1. 造船生产设计的基础技术工作

造船生产设计需编绘用于指导和组织造船生产的图表和技术文件。设计者要处理大量复杂且广泛的工程技术问题,仅凭设计者个人的经验,是难以做好这项工作的,需要制定一系列技术标准,作为设计者的辅助手段,才能保证造船生产设计工作的顺利进行。前期制定和整理标准的工作,就是造船生产设计的基础技术工作。实施船体生产的技术标准有生产设计编码系统标准、劳动工时和材料消耗定额标准、标准构件的标准节点图册、标准工艺规程和标准日程表等。

2. 造船生产设计的内容

(1)船舶总装的生产设计内容

船舶总装的生产设计内容由两部分组成,一是船舶建造的总体工艺设计,包括船舶建造方案、施工要领、船体分段划分、船体结构理论线确定,全船板缝排列及余量布置,船舶相应舾装、涂装作业等工作。这部分工作应与产品初步设计、详细设计平行地进行,在详细设计结束时这部分工作也必须全面完成,并绘出有关工作管理图表和技术文件;二是设计船台装配阶段的施工工艺和辅助作业,包括船台装配顺序图(或网络图)、船台吊装定位线图、船台焊接程序图、船台装配散装件图册、脚手架布置图、内舾装综合图、外舾装综合图、系统布置图、舱室布置图和整船涂装手册等工作。

(2)中间产品制造的生产设计内容

中间产品制造的生产设计内容是以分(总)段装焊、预舾装及涂装为单元绘制的一系列管理图表,用于指导船体结构预装焊作业,以及为生产管理提供数据。各船厂造船方法不同,图表的分类和表达方式也不完全相同,但其设计原则是一致的。

(3)零件加工的生产设计内容

用于零件加工的工作管理图表分类有:号料切割图表(套料图、投影底图等)和弯曲加工尺寸表(钢板弯曲尺寸表、型钢弯曲尺寸表等)。

生产设计是解决"怎样造船"的工程技术问题,也是对承建船舶的建造工艺及其流程的设计。因此,纲领性工艺文件的编制是根据承建船舶特点和船厂生产条件,以综合效益最优为目标,包括承建船舶的建造策略、建造原则和程序、生产资源利用、施工的作业顺序、作业方法和质量要求等。工作管理图表的编绘,则是根据产品作业任务分解结果和组合要求,详细表达中间产品或船舶总装的详细结构、施工信息、工艺技术要领和生产管理数据等。此外,生产设计还应完成船舶总装以后的各工艺阶段的技术文件和图表的编绘工作。

3. 工艺和计划准备

现代造船模式中的工艺准备工作是通过造船生产设计来体现的。现代造船模式的组织生产方式与造船工艺流程中的工艺阶段密切相关。

工艺阶段是在船舶建造周期中的一定时间内按生产性质或生产区域划分的一部分船舶建造工程,也就是把造船工艺流程划分为若干个具有相对独立性的工艺阶段,以便于组织生产和编制计划。

建造日程计划是生产计划通过日程管理来实施的一种计划方式。造船生产计划与生产负荷分析是相互关联的,该计划与生产计划平行协调地进行。工程计划按其计划的性质、范围和深度被分为订货计划、日程计划。其内容是从整体到局部、从总计划到细化的月度作业计划。

3.1.3　材料与设备准备

船舶建造需要的材料种类繁多且数量庞大。如一艘万吨级船舶,建造时需要的材料包括金属(黑金属及有色金属)和非金属(木材、塑料复合材料等),大约有1 000多种材料和5 000多吨钢材。

供应单位应根据原材料和主要机电设备供应交货期表、大型铸锻供应交货期表,按计划向有关厂商进行订货,再对到厂的材料和设备按照技术要求和造船用材规范进行验收和入库保管。

3.1.4　工厂场地和设施准备

根据承建船舶的需要,对专用工装和工夹模具提前进行设计、制造和订货。对船厂原有的主要场地设施,如平台、船台、滑道、船坞、码头、起吊设施和各种设备及动力供应等,应根据新造船的要求特点进行必要的扩建或改造。

3.1.5　人员与管理准备

施工人员要做好安全教育、爱厂如家教育、敬业和团队精神教育;根据需要,对劳动组织和人员进行合理的调整和补充;对在建造中应用新技术、新工艺和特殊工艺的有关人员,以及补充人员分别进行技术培训,以保证建造任务的顺利完成。

3.2　钢材预处理

课程目标

1. 知识目标
了解钢材预处理的基本内容。
2. 能力目标
(1)掌握钢材矫正的方法。
(2)掌握表面清理的方法。

供船体结构使用的钢板和型材,由于轧制和运输堆放过程中的各种原因,会产生变形和锈蚀。钢材变形影响号料、气割及其他加工工序的正常进行,也会降低加工精度;在焊接时还会产生附加应力或构件失稳而影响构件的强度。为了保证号料和加工质量,船厂在号料前,应先对钢材进行矫正和除锈,并涂上防锈涂料,这个过程称为钢材预处理。

3.2.1　钢材的矫正

1. 矫正原理
钢材的任何一种变形都是由于其中一部分纤维比另一部分纤维缩短些或伸长些所致。因此,矫正就是将较短的纤维拉长或将较长的纤维缩短,使它们和周围的纤维有同样的长度。在实际操作上一般都采用拉长纤维的方法,因为压缩纤维难以实现。

2. 钢板的矫正

钢板的矫正一般是在多辊矫平机上进行的，多辊矫平机一般有5~11个工作辊。

常用的矫平机的工作部分是由上下两列工作轴辊组成，下列辊是主动轴辊，由轴承固定在机体上，不能做任何调节，由电动机通过减速器带动它旋转；上列辊是从动辊，可借手动螺杆或电动装置来做上下垂直调节，以便调节矫平机上下辊列之间的间隙，来适应矫平各种不同厚度的钢板。

矫平时，钢板随着轴辊的转动而啮入，并在上下辊列间因受到方向相反的力而发生多次交变的弯曲，弯曲应力超过材料的屈服极限发生塑性变形，使钢板中较短的纤维伸长，从而矫平钢板。

钢板越厚，矫正越容易。薄板容易变形，矫正相对困难。厚度在3 mm以上的钢板通常在五辊或七辊矫平机上进行矫正。厚度在3 mm以下的钢板通常在九辊、十一辊或更多辊的矫平机上进行矫正，若仍不满足要求，可辅以手工矫正。

对厚度超过矫平机加工范围的，可使用液压机或三辊弯板机进行矫正。

3. 型材的矫正

对于平直的型材构件，应先矫直，再进行号料和切割；对于弯曲的型材构件，因为加工时要留有余量，所以不必经过矫直，可直接进行号料、切割和弯曲加工。

平直的型材构件可在型材矫直机上矫正，在没有专门型材矫直设备的情况下，小型材可以在平台或圆墩上用手工敲击来矫正；大型材可进行水火矫正，也可以在液压机上进行矫正，在液压机上矫正时需要配置符合型材形状的压模。

3.2.2　钢材表面的清理和防护

钢材表面的清理和防护，是指将钢材表面的氧化皮和锈斑清除干净（即除锈），然后在除锈的钢材表面涂刷防锈底漆的工艺过程。

目前采用的钢材表面清理方式包括：用于原材料预处理的抛丸除锈法和化学除锈法，用于二次除锈的分段喷丸除锈法和带锈底漆法，高压水除锈法以及仍然保留采用的手工机械除锈法等。

1. 抛丸除锈法

它是利用离心式抛丸机的旋转叶轮将铁丸或其他的磨料高速抛射到钢材的表面上，使氧化皮和锈斑剥离的一种除锈工艺方法。抛丸除锈设备一般均设置有丸粒回收系统，并配置有通风除尘设备。抛丸除锈法一般用于原材料除锈，适合组建钢材预处理的流水生产线。

2. 化学除锈法

化学除锈法主要是利用酸与金属氧化物发生化学反应，从而除掉金属表面的锈蚀产物的一种除锈方法，即通常所说的酸洗除锈，一般用盐酸、硫酸、磷酸或它们的混合液作为除锈液，近年来也有用柠檬酸和有机酸的。化学除锈法一般用于5 mm以下的钢板除锈，还有管子、舾装件和形状复杂的零部件的除锈，可作为抛丸除锈法的补充手段。

化学除锈只能在车间内操作，除锈后还要做一层防护处理，常将钢材放入磷化槽中进行，再吊入热水槽内清洗，最后自然干燥4~6 h。

一般结构钢材的酸洗除锈磷化防护的工艺流程如下：

脱脂→酸洗除锈→冷水冲洗→中和处理→冷水冲洗→磷化处理→热水冲洗→自然干

燥→补充处理→自然干燥。

3. 带锈底漆法

带锈底漆法是将带锈底漆(又称反应底漆)涂刷在生锈钢材表面后与铁锈发生反应,生成一层具有保护能力的薄膜,并成为底漆。带锈底漆法一般用于二次除锈,对小型船舶的一次除锈防护也可使用。带锈底漆可分为三种。

(1)转化型或反应型:漆中加入能与铁锈起反应的物质(如磷酸、亚铁氰化钾),生成有防锈作用的铁的化合物、络合物。

(2)稳定型:漆中加入使钢铁表面钝化和起保护作用的颜料,或能使铁锈脱水转化成稳定铁盐的物质(如铬酸锌、磷酸锌)。

(3)渗透型:漆中加入能力极强的渗透剂,渗透入锈层的孔隙,包围锈粒而使锈蚀不再发展。

使用带锈底漆可以免掉钢材表面的除锈工作,节省设备和工时,大大简化了钢材的除锈和防护工艺。

4. 高压水除锈法

利用高压水射流的冲击作用,来去除船壳表面上的海生物、疏松的铁锈或旧涂层等。这种方法工作效率高、除锈质量好、经济成本低、不损伤钢板、锈尘少。夹以磨料的高压水喷射除锈,可提高清理效率,并且清理后表面质量更好。高压喷涂设备安装在高压水除锈装置上,除锈完毕,待钢板上干燥后立即涂漆。

5. 手工机械除锈法

手工机械除锈法是对于机械除锈难以达到的部位,如狭小舱室、型钢反面、角隅边缘等作业困难区域,可利用角向磨光机、电动钢丝刷、风动针束除锈器、风动敲锈锤、齿型旋转除锈器等进行手工除锈。手工机械除锈法会产生大量粉尘,对人体呼吸系统会造成严重影响。

3.2.3 钢材预处理流水线

钢材预处理流水线,是指由钢材输送、矫正、除锈、喷涂底漆、烘干等工序形成的自动作业流水线,如图3-1所示。通常分为钢板预处理流水线和型材预处理流水线两种,也有钢板和型材在同一流水线上既处理钢板又处理型材的情况。

钢材预处理视频

钢材预处理流水线具有生产效率高、劳动条件好、全自动控制、除锈质量理想、表面粗糙度均匀、底漆附着牢固、处理后存放时间长等优点。现在越来越多的船厂采用钢材预处理流水线,但各船厂工序并不是完全一样的,个别工序有所差异。

钢材预处理流水线的工艺流程:

(1)用电磁吊或自动装卸运输车将外板吊放到输送辊道上。

(2)辊道以 3~4 m/min 的速度将外板送入多辊矫平机,对钢板进行矫平处理。

(3)矫平后的钢材由输送辊送入加热炉,使钢材温度达到40~60 ℃,目的是去除外板表面的水分,并使氧化皮、锈斑疏松,便于除去,同时可增加漆膜的附着性和干燥速度。

(4)外板进入抛丸除锈机,抛丸装置自动地向钢板两面抛射丸粒(丸粒可回收再使用),并用热风除去钢板表面的灰尘。

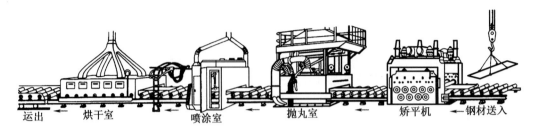

图 3-1 钢材预处理流水线

（5）外板除锈并清洁后，进入半封闭式喷涂室喷涂保养底漆。喷涂是通过装置在滚道上、下两面的自动高压无气喷涂机，由电子自动控制装置操纵喷嘴向钢板表面喷涂底漆。喷嘴沿导轨迅速做横向往复运动，其速度可在 0~80 m/min 做无级调速。

（6）外板离开喷涂室后，进入干燥室进行烘干。漆膜烘干方法有红外线、远红外线和电加热等。为利于喷漆溶液的挥发，加快干燥过程，应配有通风装置。

（7）外板烘干后从干燥室出来，进入高速辊道，以 20~30 m/min 的速度送出预处理流水线。经质量检验合格后送入加工车间进行号料、加工。

钢材预处理过程中，除锈室及喷涂室中充满了铁质粉尘和喷雾，应对集尘、换气、防爆等方面予以特别注意，必须配有相应的环境保护措施和防火、防爆措施。

3.3 船体构件加工

课程目标

1. 知识目标
了解构件加工的基础知识。
2. 能力目标
（1）掌握构件边缘加工基本方法。
（2）掌握构件成形加工基本方法。

课前思考问题

经过钢材预处理后的标准板材是如何加工成船舶建造所需各种形状的构件的？

习近平总书记在十九大报告中指出，要加快建设制造强国，加快发展先进制造业。那么，我们就要提高水平，瞄准国际标准，促进我国制造业迈向全球价值链中高端，培育若干世界级先进制造业集群。在船舶建造过程中，想要做好做强，就要从构件加工环节开始。

3.3.1 构件加工基础知识

经过钢材预处理后的板材形状都是标准尺寸的矩形，比如 2 000 mm×10 000 mm。船厂根据图纸要求,在钢板上进行号料画线,然后加工制造成各种各样的船体结构构件,这个工艺过程称为船体构件加工。

构件加工分为构件边缘加工与构件成形加工两个部分。

3.3.2 船体构件边缘加工

经过号料(或套料)的船体钢材要进行切割分离,其中部分构件还要进行焊接坡口的加工,通常这种切割分离与坡口加工过程被称为船体构件的边缘加工。

边缘加工的方法主要有机械切割法、化学切割法(气割)和物理切割法(等离子切割和激光切割等)三种。

1. 机械切割法

机械切割是指被切割的金属受到剪刀给予的超过材料极限强度的机械力挤压而发生剪切变形并断裂分离的工艺过程,常见的机械切割形式有剪切、冲孔、刨边和铣边等。

船体加工车间里剪切直线边缘构件的加工机床主要有斜刃龙门剪床(图3-2)和压力剪切机(或联合剪冲机)两种。曲线边缘构件的剪切机械主要是圆盘剪切机。

图3-2 斜刃龙门剪床

2. 化学切割法

化学切割法,现在主要是采用氧乙炔气割,它是利用气体火焰将被切割的金属预热到燃点,使其在纯氧气流中剧烈燃烧,形成熔渣并放出大量的热,在高压氧的吹力作用下,将氧化熔渣吹掉,所放出的热量又进一步预热下一层金属,使其达到熔点。金属的气割过程就是预热、燃烧、吹渣的连续过程,其实质是金属在纯氧中燃烧的过程,而不是熔化过程。常用的化学切割法主要有手工气割、半自动气割和自动气割三种。

(1)手工气割

手工气割的主要器材是手工气割炬(图3-3),它是操作者手工控制割嘴的运动轨迹,操作者的手沿号料画出的切割线进行运动,其切割精度主要取决于操作者的技术水平。

图3-3 手工气割炬

(2)半自动气割

半自动气割的主要器材是半自动气割机(图3-4),它是由电动机驱动,沿着直线轨道做匀速直线运动来实现对构件直线边缘的切割。

图3-4 半自动气割机

（3）自动气割

目前,自动气割中应用最广的是数控自动气割机(图3-5),它由控制部分和执行部分所组成,把被切割构件的图形经过电子计算机运算和编码,得到数控切割机的切割程序,再将其作为控制信息输入控制装置中,以控制切割装置进行切割。

数控气割机执行部分的机架上安装有一套或数套切割装置。其机架多为悬臂式结构、门式结构或桥式结构。数控气割机的割炬在控制装置的控制下,除了能做平面移动外,还有自动升降和旋转等功能,因而能切割不同厚度和任意形状的构件。若切割装置为多割嘴割炬组,则可切割焊接坡口。若配置有划线装置,则还能在钢板上划安装线、加工线和各种符号。

图 3-5　数控自动气割机

3. 物理切割法

近年来造船业采用了多种高效的物理切割法,如使用等离子切割机(图3-6)切割,这种切割法不但提高了切割速度,还扩大了切割范围。

等离子体是一种处于完全电离状态的气体,这种气体不再由原子、分子构成,而是由带电的离子组成,但其整体保持着电中性。利用一定的装置,可以得到流速达300~1 500 m/s、温度达15 000~33 000 ℃的高速高温等离子

等离子切
割机视频

流,这种高速高温的等离子流从喷嘴孔喷射到被切割构件表面后,遇到冷却物质便立即复合成原子或分子,并放出能量,使割缝处温度迅速升高而熔化。同时,高速飞出的粒子具有相当大的动能,产生较强的机械冲力,将被熔化的金属冲走而达到切割的目的。目前有的数控切割机的割炬不仅有气割炬,还有等离子割炬,适用于不同的工况。

4. 船体构件边缘焊接坡口加工

船舶构件是由各种形状的板材焊接而成的,而为了便于焊接,边缘加工过程中还要进行焊接坡口的加工工作(图3-7)。

坡口是指对焊件的待焊部位加工并装配成一定几何形状的沟槽。坡口主要是为了焊接工件、保证焊接度。焊接坡口的加工方法通常有机械刨边(或铣边)法与火焰切割法两种。

图 3-6 等离子切割机

图 3-7 边缘焊接坡口

（1）机械刨边（或铣边）法

刨边机（图 3-8）和铣边机都是加工船体板材构件直线边缘的专用设备。经过加工的平直船体板材构件，都可以在刨边机上刨出坡口，如 I 形、Y 形、双 I 形、U 形等坡口（图 3-9），只要更换不同的刨刀，旋转刀架至不同的角度，便可开出不同的坡口。

（2）火焰切割法（气割法）

火焰切割法是在进行构件边缘切割时，同时切割出焊接坡口，如图 3-10 所示。一般采用气割方式，将两个或三个割炬组合成一个割炬组；利用割炬组来加工所要求的坡口形状。

图 3-8 刨边机

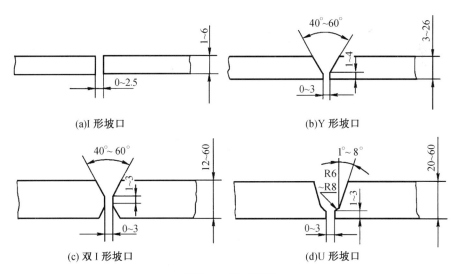

(a)I 形坡口

(b)Y 形坡口

(c) 双 I 形坡口

(d)U 形坡口

图 3-9 坡口形式

注:本书图中未标注的长度单位,均为 mm。

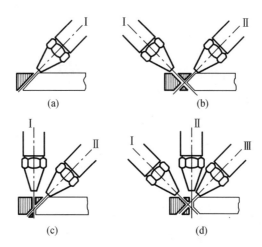

图 3-10   火焰切割法切割坡口

3.3.3   船体构件的成形加工

船体非平直构件较多,在边缘加工以后,还需要对构件进行弯曲成形加工,这种弯曲成形的工艺过程,称为船体构件的成形加工。

船体构件的成形加工有很多种分类,通常按照加工对象与加工方法进行分类。

按照加工对象来分,可分为板材的成形加工、型材的成形加工;

按照加工方法来分,可分为冷弯成形加工、热弯成形加工。

1.船体板材构件的成形加工

船体板材构件成形加工的主要方法有机械冷弯法和水火弯板法两种。其中,单向曲度板一般采用机械冷弯法,包括辊弯、压弯、折弯等;复杂曲度板先用机械冷弯加工一个方向(曲度较大的方向)的曲度,然后用水火弯板法加工其他方向的曲度。

(1)机械冷弯法

单向曲度板的冷弯成形,一般采用三辊或四辊弯板机进行加工(图 3-11)。如图 3-11所示,以三辊弯板机为例,三辊弯板机有上下三根辊,弯板机的上辊在两下辊中央的对称位置通过液压缸内的液压油作用于活塞做垂直升降运动,主减速机的末级齿轮带动两下辊齿轮啮合做旋转运动,为弯制板材提供扭矩。金属板经过多次连续弯曲,产生永久的塑性变形,弯制成所需要的曲面。

(2)水火弯板法

对于一些较为复杂的双曲度曲面,我们则要采用水火弯板法进行加工(图 3-12)。水火弯板法是指沿预定的加热线用氧乙炔炬对板材进行局部线状加热,并用水进行跟踪冷却,使钢材产生局部塑性变形,从而将板弯成所要求的曲面形状的一种工艺方法。

2.船体型材构件的成形加工

船体构件除了板材,还有型材。常用的型材有角钢和球扁钢。型材成形加工的方法有很多,此处以肋骨为例了解典型的型材成形方法(图 3-13)。

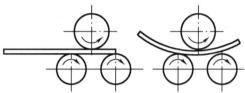

图 3-11　三辊弯板机及其工作原理

图 3-12　水火弯板法及其原理

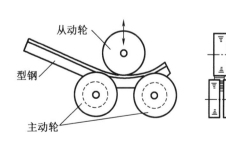

图 3-13　肋骨冷弯机及其原理

典型的肋骨弯曲成形的方法有：

(1)型材矫直机冷弯；

(2)三轮滚弯机滚弯；

(3)多模头一次成形数控肋骨拉弯机冷弯；

(4)三支点肋骨冷弯机冷弯；

(5)纯弯曲原理肋骨冷弯机冷弯；

(6)手工热弯；

(7)中频加热肋骨弯曲淬火机热弯。

3.船体构件新型热加工工艺

曲面分段是确保船舶在营运中能否具有良好的水动力性能的关键,因此,船体曲面构件的成形加工被视为船体构件加工处理的重要环节。曲面构件成形的精度会直接影响船底及舷侧曲面分段的装配和焊接的质量,以及船舶的建造周期和成本。通过加热来实现船体板材弯曲成形的热弯成形是船厂普遍采用的一种传统方法,其弯曲成形的质量较低,且火焰加热的温度分布不易精准控制。同时,由于相关过程参数主要依靠经验丰富的技术工人来适时调整,所以生产效率低下,且无法保证板材的弯曲精度。而感应加热成形则是近几年来开始兴起的一种新型板材热加工工艺。

基于电磁感应生热现象的感应加热工艺,是一种对船用钢板进行热弯成形的新方法。感应加热线圈与电源连接,由电流产生磁场,当感应线圈中出现振荡交变电流时,会在导磁金属周围产生一个交变磁场,从而在导磁金属中产生感应涡流,实现对导磁金属的加热;而当温度上升到船用钢板的居里点时,板材便会失去导磁性,不再产生感应涡流,工件温度也将不再继续上升。感应加热会促使导磁工件局部温度快速升高,产生热应变,而在周围冷却金属的拘束作用下,便会产生弹塑性力学响应。当电磁感应加热产生的热应变使材料屈服时,会产生压缩塑性应变;而在冷却降温过程中,又会因周围金属的拘束作用产生拉伸塑性应变。最终,残留的塑性应变会因厚度方向的梯度分布产生弯曲力矩,使感应加热板材出现面外弯曲变形。

电磁感应加热的热弯成形设备自动化程度较高,可高效地控制热源分布及其产生的弯曲力矩,进而精准地获得需要的面外弯曲变形。由于此工艺具备这种特有的优势,其在自动化、智能化的先进船舶建造工艺中开始逐步占据重要位置,应用前景极为广阔。

3.4 船体部件装焊

课程目标

1.知识目标

了解船体部件及T型梁的装焊特点。

2.能力目标

掌握T型梁的装焊方法。

3.素质目标

培养学生认真思考,不断进取的品质。

课前思考问题

船体构件加工后如何组装成船体部件?

船体部件是由两个或两个以上的船体零件装焊成的组合件,如:各种焊接T型梁、肋骨框架、艉柱、舵等。(图 3-14)

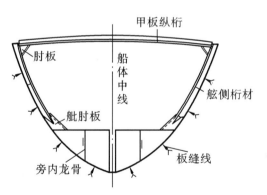

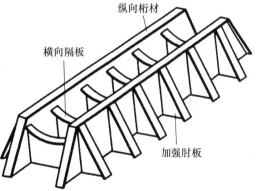

图 3-14 船体部件

3.4.1 拼板工作

1. 铺板除锈

按照施工图纸(或草图)的要求,将钢板铺放在平台上,核对钢板上所注的代号、艏艉方向、肋骨号码、正反面、直线边缘平直度、坡口边缘;在铺板过程中应尽量利用空余场地,尽可能将板排列整齐,以减轻拼板时拉撬钢板的工作。

钢板在拼接前,其边缘均须除锈(已进行抛丸除锈预处理工艺者除外),要求用砂轮除锈直至露出金属光泽为止,以确保焊接质量。

2. 钢板拼接

钢板拼接时,一般先将正确端的边缘对齐,用松紧螺丝紧固,对于薄板可用撬杠撬紧;

若没有用松紧螺丝紧固,在定位焊时要先在中间和两端固定,然后再加密定位焊。

拼板时,在兼有边缝和端缝的情况下,一般先拼装边缝,若先拼装端缝,如图 3-15(a)所示,由于边缝尺度较长,定位焊的收缩变形较大,可能产生间隙,如图 3-15(b)所示,则边缝的修正量就较大。而在焊接时,为了减少焊接应力,应先焊端缝,后焊边缝。

(a)　　　　　　　(b)

图 3-15　拼板

对于大面积钢板拼接可先将其分成若干片分别拼接,然后再将拼接好的每部分横向拼接。为了减少横向接缝的批割工作,在拼接时应尽量将端接缝对齐,如图 3-16 所示。

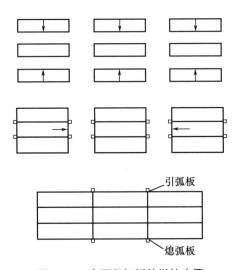

引弧板

熄弧板

图 3-16　大面积钢板的拼接步骤

采用自动焊时因引弧点与熄弧点处的焊接质量较差,为了消除这种缺陷,在钢板拼装整齐后,可在板缝的两端设置引弧板和熄弧板。引弧板和熄弧板这种工艺板的规格一般为 100 mm×100 mm 左右,厚度与所拼钢板厚度相同。

这种拼板工艺虽然用埋弧自动焊拼接,但只焊接了正面的对接缝,必须将钢板翻身后再焊接反面的对接缝才算完成拼板的工作。若采用单面焊双面成形工艺(如 CO_2 气体保护焊)则无须将钢板翻身,使焊接效率提高一倍。钢板反面成形是采用了大焊接电流和反面衬垫来实现的,衬垫有紫铜衬垫、焊剂衬垫等。单面焊双面成形时,钢板的固定不能采用定位焊,而是在板缝两端各放一只梳状马将钢板固定,板缝长度的等分处也要放梳状马。梳状马的规格约为 150 mm×80 mm×8 mm,当钢板厚度在 10 mm 以上时,焊接时板缝的伸张力较强,在熄弧处的梳状马规格为 500 mm×100 mm×10 mm,其余的梳状马均为一般规格。马板的定位焊应尽量焊在马板的同一侧两端,不能焊在靠近板缝处,以免影响焊机的行进,也不能焊在马板两侧,否则不易敲拆。当焊机到达马板附近时,把马板敲掉。

压力架焊接方法也是单面焊双面成形,但钢板的固定不是采用梳状马固定或定位焊的方法,而是用压力架对钢板加压,使之固定,接着在焊缝两端装上引弧板和熄弧板再进行焊接。如图3-17所示为各式马板。

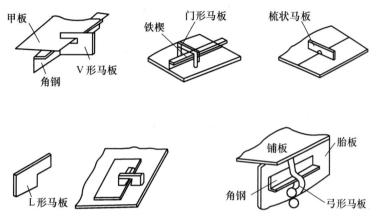

图3-17 各式马板

钢板之间在整条焊缝上的间隙是相等的。当钢板厚度在10 mm以下时,间隙为3 mm;当钢板厚度在12 mm以上时,间隙为4 mm。

另一种常用的马板为L形马板(图3-17)。L形马板是与铁楔一起用于楔平高低不平的板缝。L形马板焊于接缝的低板一边,马板厚度应略大于所拼板的厚度,钢板厚度小于6 mm或大于14 mm时,马板厚度取8 mm或14 mm。L形马板的定位焊应焊在马身端部,且位于铁楔楔紧方向的一侧,以便用完后易于拆除,若需受较大的力时,可将定位焊焊脚略做包角,并在另一端点焊。

3.4.2 T型梁的装焊

船体结构中的宽肋骨、宽横梁、舷侧纵桁、舱壁桁材,单底船的肋板、中内龙骨、旁内龙骨等,这些都是T型部件,由腹板和面板组合而成。有些宽腹板的T型梁,其腹板上还装有一定数量的角钢或扁钢扶强材。T型梁分直、弯两类:凡是面板平直的为直T型梁,面板弯曲的为弯T型梁。T型梁一般都在平台上进行装配焊接,T型直梁多采用倒装法,T型弯梁则采用侧装法。对具有腹板扶强材的T型直梁,待腹板与面板组装妥后,按扶强材的位置线来安装其腹板扶强材。

1. 直T型梁的装焊

(1)直T型梁面板平直,在平台上大多采用倒装法。

(2)直T型梁装焊步骤如图3-18所示。

直T型梁常采用倒装法装配。在倒装过程中,可在腹板与面板定位一侧焊接,预先加放一定的反变形,使夹角成"开尺"(大于90°),以抵消定位焊接引起的角变形;还可将面板预先扎出反变形角度,以消除焊接角变形,这些反变形数值一般凭经验确定。为了消除装配时可能出现的腹板与面板间的间隙,可在面板下面垫一根钢管,上面垂直对线安放腹板,这样从一端向另一端边滚动边定位焊接,如图3-19(a)所示;也可以采用侧装法装配,这时只要当面板与腹板间的夹角经测量符合要求即可进行定位焊接,并在面板与腹板间焊上临时加强板,起到加强作用,以免在焊接、吊运时引起部件的角变形,如图3-19(b)所示。然后焊接,面板与腹板间的角焊缝一般为双面交错间断焊,采用手工电弧焊接完成,特殊情况下,亦有采用单面或双面连续焊接的。如果宽腹板上有扶强材,则须将腹板与面板装焊完毕,再焊接扶强材与腹板的连接焊缝。

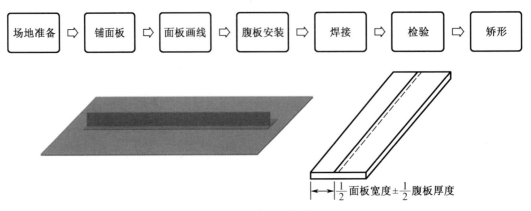

图 3-18 直 T 型梁装焊

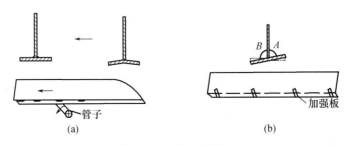

图 3-19 反变形措施

2. 弯 T 型梁的装焊

(1)弯 T 型梁面板弯曲,在平台上大多采用侧装法。

(2)弯 T 型梁装焊步骤:

弯 T 型梁大多采用侧装法,并须按照 T 型部件的形状制作搁架马板,如图 3-20 所示,图中 C 一般比腹板宽度小 5~6 mm,B 等于面板安装线的宽度,马板的尺寸还应按实际情况,须考虑部件拼装后取出方便,并使马板具有足够的刚性。装配时,先将腹板铺在马板上,然后将面板插入,利用铁楔压紧,即可进行定位焊。为了保证部件的正确曲形,便于矫正焊接变形,在腹板号料时应做一根或两根检验直线,并打上标记,如图 3-21 所示,这样经过装配焊接后,只要检验其标记直线度,即可判别部件曲形正确与否。面板与腹板的角的焊缝形式与 T 型直梁相同,焊脚高度视板厚而定。

3. T 型直梁自动装配焊接机

T 型直梁自动装配焊接机是一种新工艺装备,它由装配、焊接和翻落三部分组成,如图 3-22 所示。自动装配部分装有两组联动的转臂,臂上装有滚筒,其中一组转臂上装有电磁铁,转臂靠汽缸转动。焊接部分包括面板和腹板对中装置、汽缸、调速装置、固定的两台半自动焊机和焊剂回收装置。自动翻落架是一个可翻落的托架,托架依靠汽缸动作而实现翻落,整个托架还可以调节角度。

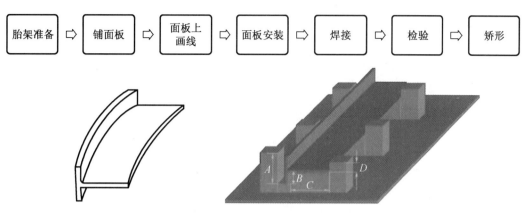

图 3-20 弯 T 型梁装焊

图 3-21 标记检查线

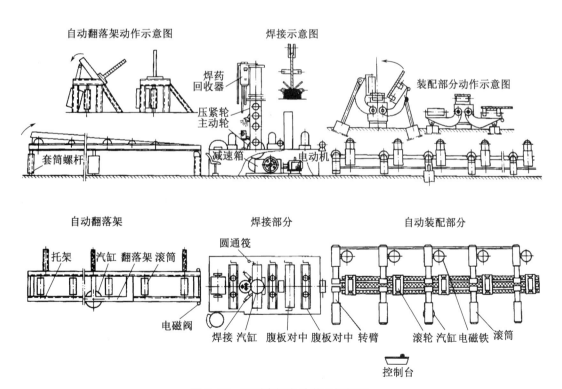

图 3-22 T 型直梁自动装配焊接机

T型直梁开始装焊时,面板吊放在装配部分的中间一排滚轮上,腹板吊放在装有电磁铁的一组转臂上。启动电磁铁开关,电磁铁吸住腹板,然后汽缸进气,因无工件的一组转臂负荷小而先翻转90°,对工件起支撑作用,另一组转臂接着翻转90°,面板和腹板成直角位置。切断电磁铁电源,把工件推至焊接部分,依靠焊接部分的机械装置(面板对中、腹板对中装置)进行T型直梁装配定位,按板厚调节焊接速度。焊前准备工作结束后,焊接部分的汽缸进气使压紧轮压紧工件,然后启动马达,可自动地进行面板与腹板间的填角焊接,焊接完毕,工件被送到翻落架上,靠汽缸将工件自动翻落到地面上。

3.4.3 智能制造在中间产品工艺路线中的应用

中间产品是根据成组技术的相似性原理定义的小组立制造阶段的过程产品,是指在船舶建造过程中具有典型工艺特征和壳、舾、涂一体化完整性标准并按照造船流程和制造逻辑链有序组合叠加形成最终产品(整船)的一种成品化产品。中间产品是设计、生产、管理一体化综合数字设计的基本单元,是组织造船生产的物流、信息流、资金流的基本载体。

传统小组立制造工艺路线包括进料、理料、拼板、装配、电焊、修补打磨、火工矫正、出料等工序,先将钢材在盘上展开,找出加强筋,然后开始划线,再把筋和板进行点焊装配,接着焊接、背烧、打磨,但其自动化程度低,生产效率达不到现代造船企业的要求。

采用智能制造技术的小组立中间产品工艺路线,需要将小组立壳舾涂作业在车间内合理布局,建立标准化的生产流程以提高生产效率,流水线中各项作业均衡协调,缓冲量小,避免有大量中间产品堆积;同时基于计划拉动库存和物流配送管理,建立以小组立中间产品为导向,拥有连续、均衡、节奏鲜明的标准化作业程序的生产线;可实行小组立船体物流分道、舾装物流托盘化,形成包含生产图纸、物资托盘、人员设备等信息并具有一定作业量的任务包,从而实现生产计划对物资的拉动。

小组立智能生产线布局中较为常见的是直线型布局,如图3-23所示。

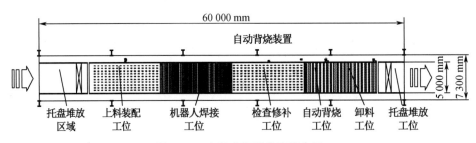

图3-23 小组立智能生产线布局

上料装配工位可完成小组立托盘堆放、小组立工件组对、点焊及输送等作业。

机器人焊接工位应用机器人焊接系统,可完成小组立工件的自动焊接。

检查修补工位由操作工完成对焊接后小组立工件的焊渣清理、焊缝检验及修补打磨等作业。

自动背烧工位在进入端安装光电开关,在纵向固定位置配备火工背烧设备,在无须工件翻身的前提下,自动采集机器人焊接系统焊接的位置坐标信息,控制火焰枪头的移动距离和点火时间,整个过程无须人工干预。

卸料工位由操作工利用桥式起重机将小组立工件从生产线卸至托盘上。

小组立零部件机器人智能焊接的应用将大幅提高生产效率,提升建造精度,是未来船舶智能制造方面的发展趋势。

3.5　船体分段装焊

1. 知识目标
了解船体分段类型、分段装配和焊接方法。
2. 能力目标
掌握双层底分段装焊程序和正造法流程。
3. 素质目标
培养学生的逻辑思维能力。

船体部件装焊后如何组装成船体分段?

我国改革开放以来,我们加入了地球村的建设,网络社会的生成使全球化的进程得以加快,"一带一路"倡议使参与全球建设成为国家的意志,人类命运共同体概念的提出让我们明白了每个人对我们赖以生存的环境的作用都非常重要。正如大型船舶一样,它是由数十个乃至上百个小的分段组成的,每一个分段的装焊质量对船舶最终的合拢完工都有着非常重要的影响。

3.5.1　分段的基本知识

分段是由零件和部件按生产设计图经过装配、焊接等工序制成的船体局部结构物,是船体建造过程中的重要单元体,按其外形特征大致可分为平面分段、曲面分段、半立体分段、立体分段和总段。

1. 分段类型
(1)平面分段
平直板列上装有骨材的单层平面板架称为平面分段(图3-24),如舱壁分段、舱口围壁分段、平台甲板分段、平行舯体处的舷侧分段等。
(2)曲面分段
曲面板列上装有骨材的单层曲面板架称为曲面分段(图3-25),如单底分段、甲板分段、舷侧分段等。
(3)半立体分段
两层或两层以上板架所组成的非封闭分段,或者是单层板架带有一列与其成交角的板架所构成的分段称为半立体分段(图3-26),如带舱壁的甲板分段、带舷侧的甲板槽形(门形)分段、甲板室分段等。

图 3-24 平面分段

图 3-25 曲面分段

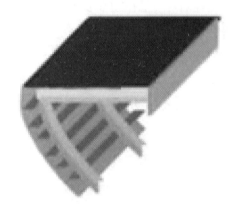

图 3-26 半立体分段

（4）立体分段

两层或两层以上的板架所组成的封闭分段，或者是由平面（或曲面）板架所组成的非环形立体分段称为立体分段（图 3-27），如双层底分段、双层舷侧分段、边水舱分段、艏艉立体分段等。

（5）总段

主船体沿船长方向划分，其深度和宽度等于划分处型深和型宽的环形立体分段称为总段（图 3-28），如艏、艉尖舱总段，上层建筑总段等。

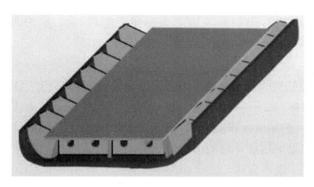

图 3-27 立体分段

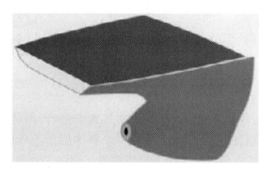

图 3-28 总段

2. 分段装配和建造方法

分段装焊的工作量占整个船体装焊作业量的 35% 左右,因此选择良好的分段制造方法,对于完成船体建造工作是十分重要的,它是完成船体建造计划的关键。由于船体分段的结构形式以及各工厂的设备条件不同,其制造方法也各不相同。

(1)按构架的组装形式分类

①分离装配法

分离装配法是指分段经过拼板焊接后,按工作图要求进行铺板构架划线,将纵材和横向构架分离后各自安装,根据交错节点的结构形式,通常是先装纵材,定位后再安装横向构件,组成格子型结构后,转入焊接工序,集中焊接,如图 3-29 所示。

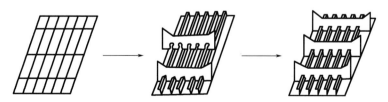

图 3-29 分离装配法

此法的优点是构架的装配焊接效率高,纵横构架的装配误差在焊接前容易调整,生产管理较方便,装配和焊接工序互不交错,便于劳动力的调配,适用于分段制造工位固定及作业者流动的生产管理体系。其缺点是由于构架组成格子型结构后,纵材不能采用连续的自动角焊机进行高效率焊接,而只能采用重力焊和手工焊等方法,分段工作量集中且周期较长。

②纵桁法

纵桁法是指分段铺板焊接经过划线以后,先安装纵材并进行连续自动角接焊,然后进行横构架的安装和焊接,如图3-30所示。纵材的装焊效率高是本方法的优点,但是纵材的间矩、角尺度和定位时的精度要求高,如果横框架上的切口加工精度低,会造成缝隙过大和装配作业的困难。如果采用加补板的节点形式会增加构架焊接工作量,在技术装备和作业水平不太高的情况下一般不宜采用。

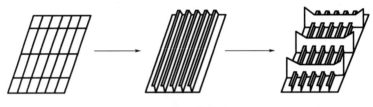

图3-30 纵桁法

③框架法

框架法是指分段铺板焊接和划线在分段制造场地上进行,而构架在专用组装平台上制造,纵材和横构架组装成框架后,将框架装焊成一个整体后吊上分段进行安装和焊接,如图3-31所示。此法最大的优点是充分减少了分段制造工序的工作量,使分段和部装工作负荷相对均衡,有效地缩短了分段制造周期。其缺点是要求有一个水平度较高的框架制作平台,以提高框架的组装精度。在框架部件制作时,可以实施有效的精度管理,需要有较高的作业能力和管理水平,它是提高平面型分段制造工作效率的好方法。

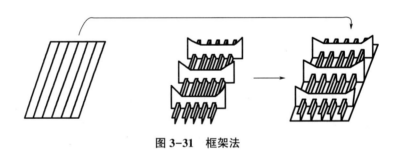

图3-31 框架法

(2)按分段装配时的状态分类

①正造法

正造法是指船体艏艉部分分段都带有曲面外板,制造时分段处于正态位置,以外板为基面在胎架上铺板焊接和划线后,构架在上面安装和焊接,如图3-32所示。其优点是外板的主焊缝是俯位作业,不仅工作效率高,而且焊工的劳动条件好。在构架安装时,以外板为基准,操作简单,装配方便,受到作业者欢迎。但其缺点是支承曲面的外板需要制造专用胎架或采用支柱式通用胎架,前者辅助材料耗费大;在构架装配时因外板对接缝的焊接变形又增加了零件边缘的修割工作量。

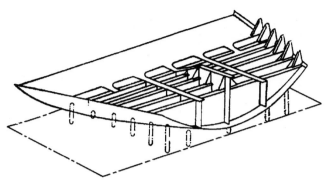

图 3-32 正造法

②反造法

某些立体和半立体分段上,除曲线型壳板外,还有平台、甲板和内底板等平面结构件。若以此作为基准面进行分段制造,使分段处于反转的状态称为反造法,如图 3-33 所示。其优点是以平面构件作为基面,在通用平台上就可以制造,省去了制作正造线型胎架的材料和工作量,而且在平板上进行构架划线和装焊工作,效率较高。反造法时外板是以构架为基准进行单件贴装的,为了使外板主焊缝和封底焊缝都在俯位进行焊接,分段需要进行三次翻身,比正造法增加了一次翻身作业量,如果外板仰焊或整体拼焊后安装,可以只进行一次翻身,总的分段制造经济效益比正造法高,因此被各船厂广泛采用。

图 3-33 反造法

③侧造法

船舶艏、艉柱分段和舵结构等由于形状尖削,一般采用以船中心线平面作为基面而制造外板线型胎架,以达到控制焊接变形和提高分段完工精度的目的,如图 3-34 所示。

④卧造法

艏、艉大型立体分段的曲面外板,由于曲率小,安装工作难度大,特别是艉立体分段的舵轴中心线的几何精度高,允许的偏差值小,因此往往采用以隔壁为基准面进行安装工作,如图 3-35 所示。其优点是简化胎架的制造工作,构件安装定位方便,分段不需要翻身,完工后仅做 90°角旋转后就可以上船台安装。

(3)按组装的方式分类

①小分段组装法

如立体和半立体分段制造时,往往采用将外板、隔壁和甲板分别经过组装后成一独立的小分段,再进一步组装成分段,如图 3-36 所示。其优点是,小分段组装定位时方便,安装精度容易控制,总体变形小。由于采用中组装施工法,就可以开展平行作业。再者,分段组装工作大部分在平俯位置进行,故分段制造周期相应缩短。

②外板散装法

在艏、艉部"L"型、"II"型和封闭型立体分段上,由于线型和结构上的原因不能逐一划分成小分段制造时,往往采用舷侧肋骨按距中半宽型值定位,然后将外板单件贴装,如图 3-37 所示。其优点是分段制造所需的场地面积小;在外板曲率小、结构密的部位安装相对方便;外板主焊缝和封底焊缝施焊时分段不需要翻身,生产管理方便。其缺点是分段制造周期长;焊接方式由平焊变为垂直焊后,工时数增加;高空作业量和脚手架工作量增加。半立体分段外板散装时,由于肋骨自由端的安装和焊接会产生位置偏差,有时会造成船台对接工作的困难。一般外板散装的施工方法在艏、艉立体分段上采用得比较多。

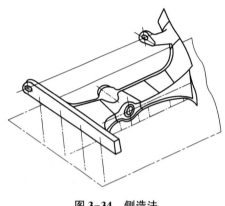

图 3-34　侧造法

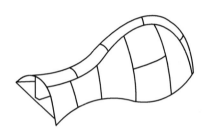

图 3-35　卧造法

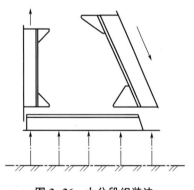

图 3-36　小分段组装法

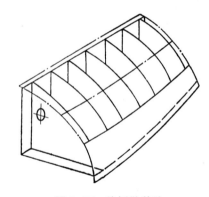

图 3-37　外板散装法

3.5.2　底部双层底分段的装焊程序

双层底分段在中大型船舶中占底部分段的 60% 以上,它的结构要比平面分段和曲面分段复杂,正确地选择装配焊接方法是重要的。目前大中型船舶一般都采用反造法,可以省去制造胎架的工作量,以平直型双层底分段为例,施工程序如图 3-38 所示。

1. 平台准备

根据分段的尺度,选择型钢式通用空心平台或通用支柱式平台,检查和修正其平整度,使其水平误差控制在 5 mm 以内。

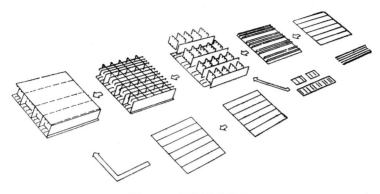

图3-38　双层底反造法

2.铺板划线

将内场经过拼板工位拼接的内底板吊上平台,检查拼板的平整度,局部不平的部位用重物压平,下侧用"马"局部固定。在内底板上先划出由中心线和肋骨检验线组成的角尺线,再划出纵桁和肋板等构架线,并标清板厚和型材安装方向的符号,将构架线处的焊缝增强量批平。平直的分段在内底平板上可以自由做出基准线,故一般在水泥基础平台上不再划出分段中心线等基准线。

3.安装纵材

将内底纵骨吊装于防倾倒马板中间临时固定。纵长方向定位时应按照肋位和端部的安装定位基准线放对,特别是实行精度管理的分段更应该控制其误差在 2 mm 以内,若纵骨长度超过 12 m 时,中间有横接缝,则应在平俯状态下控制好直线度,进行双面焊接后再安装。

4.安装纵桁和肋板

从中内龙骨开始向分段四周扩展吊装。在大中型船舶的双层底分段制造时,肋板和间断纵桁板由于采用数控切割,零件精度高,安装间隙小,因此都采用从中心区顺次向四周安装的程序。当构件板厚小于 4 mm 时,零件只能采用样板和手工下料,这样显然误差大,加上铺板的平整度差,安装间隙较难控制。为了提高安装效率,往往采用插入法安装。先安装间断构件如纵桁,修正肋板厚度的间隙至 2~4 mm 公差时,再将连续构件如肋板等零件插入后定位。

通过肋板开口的内底纵骨依靠肋板进行定位时,允许与理论线偏差 2 mm,加上角焊缝间隙,极限值可达 3 mm。如果采用纵桁法时,纵骨焊接后会产生角度变形,同样肋板上开口也会存在误差,使肋板吊装时由于缺口和纵骨的相对位置的偏移,不能匹配,因而降低了组装效率。

5.安装外底纵骨

肋板和纵桁定位后吊装外底纵骨,并完成内部构架的安装工作,然后在内底板四周边缘的下侧,于肋板纵桁等强结构件部位处,用型材与水泥平台上的刚性点进行固定,以控制构架焊接时的变形。

6.构架焊接

在分段钢性固定后进行焊接,尽可能采用上引下焊和重力焊等高效率焊接法,一般分段由 8~12 个焊工分四组于分段的 1/4 区域的中心部位进行焊接。

进行预舾装即船装管系和铁舾件预舾装在分段外板未盖以前,应进行管系、人孔、直梯、放水塞和踏步等舾装件的预安装工作,外板用重荷压平后定位。然后吊装经过整体拼装成形的外底板,用重荷压平后定位,用激光经纬仪划出中心线、肋骨检验线、水平线和分段两端正足线,放出补偿值后切割。

7. 翻身焊接

将分段一次翻身,完成外底板构架的平角焊和内底板上面的封底焊,进行分段完工测量和分段结构性验收。

8. 分段二次除锈和涂装

略。

3.5.3 双层底分段框架法制造的基本程序

上述内容是常见的双层底分段定点施工时的装焊程序,此装配方法会使构架存在大量的主角焊缝,约占分段角焊缝焊接量的 40%,而装配电焊工作又在同一个工位上进行连续作业,因此分段制造周期长。克服上述缺点的途径是采用框架法制造,如图 3-39 所示。

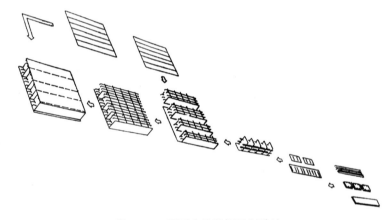

图 3-39　双层底分段框架制造法

构架部件制造→框架制造→分段内底板铺板→构架画线→框架吊装定位→分段构架焊接→管子和铁舾件预舾装→盖外底板→翻身后构架焊接→完工测量和结构性验收→二次除锈和涂装。

由于采用框架法施工,分段的装配和焊接可以进行平行作业,同时提高了俯向平角焊的占比,从 25% 提高到 75% 左右,使分段制造周期显著缩短,如图 3-40 所示。

定点法周期	铺板 画线	构架安装	构架焊接	预舾装	盖底板	焊接	完工 验收
框架法周期	铺板 画线	构架安装	构架焊接	预舾装	盖底板	焊接	完工 验收

图 3-40　分段制造周期对比

3.5.4 双层底分段正造法

正造法装配流程,如图 3-41 所示。

1. 胎架准备工作

胎架准备工作采用正切桁架式胎架,如图 3-42 所示。

2. 外板的装配与焊接(图 3-43)

(1)先吊装 K 行板。

(2)依次吊装 K 行板左右两侧的板。

相邻分段底部
分段的装配视频

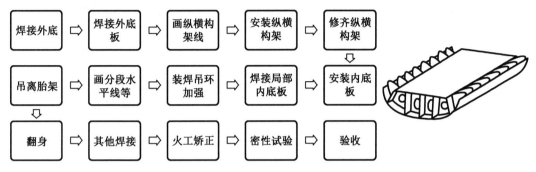

图 3-41 正造法装配流程

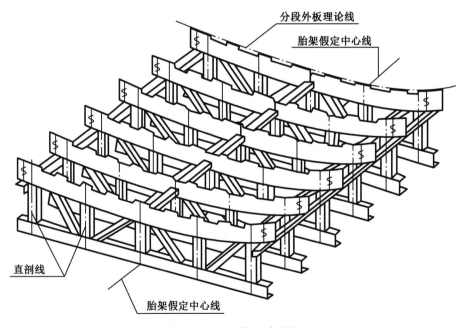

图 3-42 正切桁架式胎架

(3)将外板与胎架紧贴固定。

(4)施定位焊。

(5)焊接。

3. 在外板上画出纵横骨架安装线,安装中底桁(图 3-44)

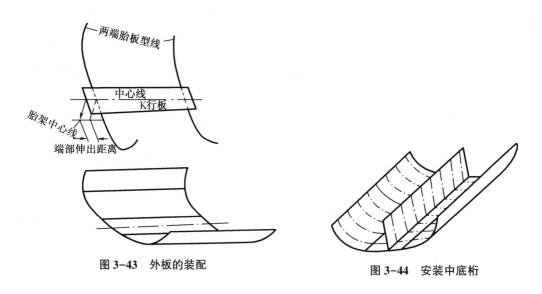

图 3-43 外板的装配

图 3-44 安装中底桁

4. 纵横骨架的装配,焊接骨架之间和骨架与外板的接缝(图 3-45)

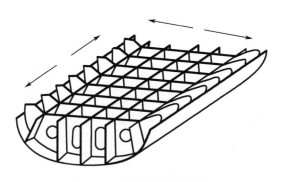

图 3-45 纵横骨架的装配

此过程需注意:

(1)先装中间肋板,再装其前后的旁底桁;左右同时向两端进行安装,最后装内底边板和舭肘板。

(2)焊前加压排以减小结构变形。

5. 分段预舾装

6. 吊装内底板

画出分段安装定位线,装焊分段吊环,如图 3-46 所示。

此过程需要注意:

(1)内底板先在平台上拼装好再吊装,并与骨架拉紧,定位焊。

(2)分段安装定位线包括:分段中心线、肋骨检验线、水平检验线。

7. 分段吊运与翻身

8. 火工矫正

9. 装配与焊缝质量检验

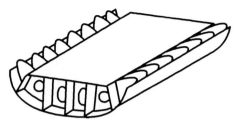

图3-46　吊装内底板

10.完工测量、提交验收

11.分段涂装

3.5.5　船舶结构焊接机器人技术

船舶分段建造过程中主要是板与板的装配连接,船体的板材装配中主要采用平面装配法和栅格装配法。平面装配法就是先将纵骨板与船板进行焊接,构成板列分段,然后再将横向肋骨板与板列分段进行下一步焊接;栅格装配法就是纵骨板先与横框架进行预装配,形成栅格状,再与船体板进行焊接。目前,船舶结构焊接机器人主要有吊篮式焊接机器人、移动式焊接机器人及龙门架式焊接机器人。

吊篮式焊接机器人使用起重机从一个位置吊到另一个位置,当吊运至所需焊接位置时,再采用寻位传感器对引弧点进行定位和焊接。

吊篮式焊接机器人(图3-47)适合开放式板材的连接,类似邮轮、集装箱船、LNG船等双层船壳结构。双层船体结构由上部板和下部板、主梁和横向腹板组成,主梁和腹板将双层船体结构划分为若干封闭部分。在其每个截面上平行布置若干纵向加强筋,这些纵向加强筋包含许多小型加强筋,形成U形结构。由于受空间影响,使用吊篮式焊接机器人焊接十分不便,故需要更灵活的焊接机器人。

图3-47　吊篮式焊接机器人

移动式焊接机器人(图3-48)能将焊接效率提高25%。机器人底座安装在行程导轨上,行程导轨由拆卸模块构成,方便拆卸,工人只需要先在控制面板里输入一些参数,然后启动程序,机器人就会开始自动测距定位、自动焊接和移动,可进行平焊、横焊、立焊及仰焊。

吊篮式焊接机器人和移动式焊接机器人都能通过行车或吊车较快地被运送到指定位置进行焊接,由于大型船舶结构对机器人的臂展和大范围移动的需求,所以船舶行业中龙门式焊接机器人(图3-49)应用也较为广泛。焊接机器人倒挂在移动导轨上,导轨可在X、Y、Z三个方向上移动,这样焊接机器人就变成了9个自由度。

图 3-48　移动式焊接机器人

图 3-49　龙门式焊接机器人

焊接机器人在船舶建造中的应用,将迅速提升我国船舶装配技术和装备,推动我国船舶行业的发展,提高我国船舶行业在国际上的竞争能力,以迎接数字化、互联网化、智能化的智能造船时代的到来。

3.6　总　段　建　造

1. 知识目标
(1) 了解总段建造的基础知识。
(2) 了解环形总段的建造方法。
2. 能力目标
掌握中部环形总段的装配方法。

采用总段建造方式有哪些优点?

3.6.1　总段建造基础知识

总段是由若干平面分段、曲面分段和立体分段组成的。中部环形总段是由底部分段、舷侧分段、甲板分段及舱壁分段组成,如图 3-50 所示。

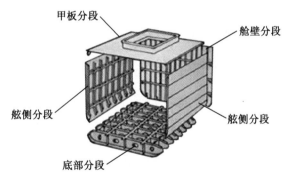

图 3-50　中部环形总段的结构

中小型船舶,在工厂设备、起重能力等条件许可之下,经常采用总段的方式建造船体,如图 3-51 所示。

采用总段合拢装配建造船体,将使船台装配阶段中的许多分段合拢工作转移到总段装配阶段,使船台工作量减少并缩短船台周期。同时,总段装配更有利于预舾装新工艺的推广。当总段构架装配结束后,铁舾装、管系及木作工作都可以单元形式进行预制预装,大大缩短船台与码头的建造周期,对于批量生产的船舶,还可提高产品质量。

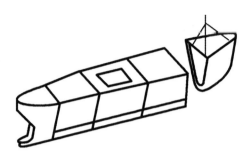

图 3-51　总段建造法

3.6.2　环形总段的装配方法

环形总段的装配,一般是以底部分段为基准分段,而后按工艺要求,先后将预先装焊好并矫正合格的舱壁分段、舷侧分段、甲板分段吊到底部分段上组装,如图 3-52 所示。

图 3-52　环形总段的装配

艏部分段合拢视频

舷侧分段装配视频

1. 各个分段的制造

预先在胎架上对中部环形总段的底部分段、舷侧分段、甲板分段和舱壁分段进行装焊工作。其中,由于底部分段作为总段装配的基准分段,所以分段的装焊质量要求较高。装焊结束后应在分段上画出中心线及肋骨检验线,还须经过火工矫正和提交验收。

2. 总段装配

先将验收合格的底部分段在胎架(墩木)上定位正确,再吊装舱壁、舷侧、甲板等分段。

(1)底部分段定位

如图 3-53 所示,将底部分段放置在胎架(墩木)上进行定位。吊线锤使分段中心线与平台基面(胎架)中心线对准,用水平软管或激光经纬仪测量并调整分段内底板上四角(A、B、C、D 对应的位置)的水平,使其符合工艺要求。在内底板上画出舱壁安装位置线。

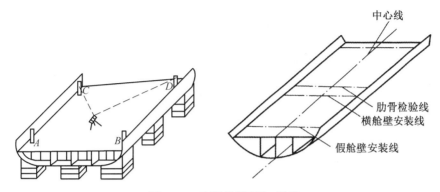

图 3-53　底部分段定位、画线

(2)吊装舱壁分段

如图 3-54 所示,将已装焊及矫正好的横舱壁吊上底部分段,放在其安装位置上。使其中心线对准内底板上的中心线,校正舱壁的垂直度,用松紧螺丝做临时支撑和临时固定。

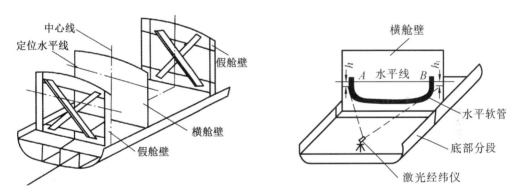

图 3-54　横舱壁分段吊装和测量

测量舱壁上定位水平线(A、B 两点连线)的水平情况,并调整至水平。根据定位水平线的高度与图纸上定位水平线的理论高度的偏差,画出横舱壁下缘的余量,并割除。再次校正横舱壁的垂直度和水平,使横舱壁与内底板贴紧,进行定位焊。

在吊装横舱壁时须注意以下几点:

①横舱壁必须与内底板下相应的肋板对准,舱壁板与肋板的错开值不得超过舱壁板厚度(肋板厚度)的一半。

②须测量横舱壁上的定位水平线左右两端是否在同一水平面上。但当艏、艉部分的舱壁中心线高度大于水平线宽度时,可以悬挂线锤来检测舱壁中心线是否在垂直位置上作为定位依据。

③横舱壁上扶强材的安装方向和扶强材之间的距离必须符合图纸要求。

如果总段中横舱壁较少或者没有,为了保证甲板安装的高度、便于舷侧分段的安装、增加总段端部的刚性,可在总段两端设置假舱壁。假舱壁是由钢板和型钢组成的框架结构,其高度、半宽尺寸及线型必须符合假舱壁安装部位的肋骨横剖面线型。假舱壁上也须画出中心线及定位水平线,安装、定位方法同前。总段完工后再拆除假舱壁。

3. 安装舷侧分段

如图3-55所示,装焊好的舷侧分段须画出定位水平线、肋骨检验线和甲板位置线。将舷侧分段吊上底部分段,再插入事先安装在底部外板上的托板中,并用带松紧螺丝的拉条将其与内底板、横舱壁拉牢。然后使舷侧分段上的肋骨检验线与底部分段上的肋骨检验线对齐。同时检查舷侧分段上的横舱壁(假舱壁)安装位置线是否与分段上的舱壁(假舱壁)对齐。

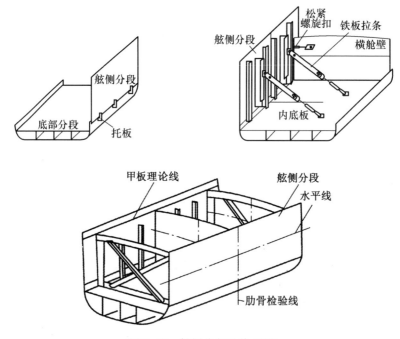

图 3-55 舷侧分段吊装、测量

将舷侧分段拉拢靠紧横舱壁(假舱壁),在舷侧分段的肋骨检验线和艏艉两端的甲板理论线处吊线锤,测量分段在此三处的半宽。

测量舷侧分段两端的甲板线(定位水平线)的高度值,并调整至符合工艺要求。根据高度值与理论高度值的差值,画出舷侧分段下缘的余量线,并进行切割。切割好后,进行舷侧分段与底部外板和横舱壁的定位焊,并进行舭肘板安装。

舷侧分段的吊装可一舷先安装,另一舷后安装。另一舷安装时须使左右两舷的肋骨检验线在同一横剖面上,否则甲板吊装后会出现横梁与肋骨错位的现象。

4. 安装甲板分段

如图3-56所示,将甲板吊上总段,在甲板中心线处吊线锤到内底板的中心线上,使两者中心线相互对准,并使甲板肋骨检验线对准舷侧分段肋骨检验线,再检查甲板横梁与肋骨对准情况。甲板边缘对准舷侧分段上的甲板位置线,同时使甲板与舱壁贴紧。

总段有横舱壁,则甲板的梁拱值由横舱壁来保证。总段若无横舱壁,则可用水平软管来检查甲板的梁拱值,如图3-57所示,即用水平软管测出甲板中心线处距标尺上某一定点

的高度值 h 及甲板边缘距该定点的高度差值 h_0。那么甲板的梁拱值 $f=h_0-h$。

若 f 值与图示理论梁拱值相等,则分段甲板梁拱正确;

若 f 值大于或小于图示理论值,则应采取对甲板向下压或向上顶,再配以火工等措施进行矫正,直至符合要求。

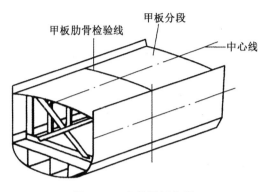

图 3-56 安装甲板分段

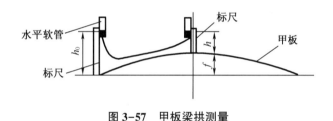

图 3-57 甲板梁拱测量

当甲板位置全部拉对后,再进行甲板与外板、甲板与横舱壁的定位焊。

至此,总段安装完毕,可进行加强和吊环的安装、焊接。焊接完毕后,根据图纸要求,画出总段两端的余量线,根据工艺要求割除余量,最后进行测量验收。按环形总段质量要求进行完工测量。

3.7 船舶总装

课程目标

1. 知识目标

(1)了解船舶总装设施及其工艺装备。

(2)了解船舶总装准备工作及船舶总装方式。

(3)熟悉船舶总装(船台装配)过程。

2. 能力目标

能叙述以塔式建造法进行船台装配的工艺程序。

在船体结构经过预装配而形成部件、分段或总段后,是如何完成整个船体装配的?

3.7.1 船舶总装的概念

船舶总装主要指的是船体总装,即在船体结构经过预装配而形成部件、分段或总段后,在船台完成整个船体装配的工艺阶段,也称船台装配,俗称大合拢。此阶段对保证船舶的建造质量,缩短船舶建造周期有着直接的关系。

3.7.2 船舶总装设施及其工艺装备

1. 常用设施

船台(或造船坞)是将分(总)段组装成整个船体的工作场所,它应具有坚实的地基,并设置在船体车间附近靠水域的地方,以缩短分(总)段的运输路线,便于船舶下水。

(1)纵向倾斜船台

纵向倾斜船台是一种船台平面与水平面呈一定角度(称为船台坡度)的船台,倾斜度大小通常取1/24~1/14。这是目前船体建造和下水采用最普遍的一种形式,如图3-58所示。

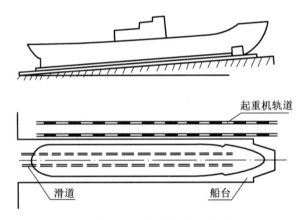

图3-58 纵向倾斜船台

优点:船舶建造与下水在同一位置,占地小、投资小。

缺点:装配、检验不便,下水安全性较差。

(2)水平船台

水平船台是船台平面与水平面平行的船台,地基上铺设供船台小车(或随船架)移动的钢轨,如图3-59所示。

优点:船舶采用水平建造,船体总装时运输、装配、检验方便,作业条件好;与机械化滑道、升船机、浮船坞等下水设施结合使用,下水安全可靠。水平船台常见于中、小型船舶修造厂。

缺点:占地大,投资大;建造尺度、下水质量限制较大;维护费用高。

图 3-59　水平船台

（3）半坞式船台

半坞式船台是纵向滑道和倾斜船台结合的一种新式船台，如图 3-60 所示。即在使用纵向滑道的倾斜船台上建造大型船舶时，为了充分利用船台水上部分，又不使船台前端超出厂区地面过高、过长，而在滑道后端加一坞门，以免船台后端浸水而影响操作。建造船舶时，只要关闭坞门再将水抽干，即可进行船舶总装作业。

图 3-60　半坞式船台

（4）造船坞

造船坞是低于水面、端部设有闸门，在闸门关闭后能将水排干以从事船舶修造的水工建筑物，如图 3-61 所示。根据坞的深度，船坞分为两种：浅的用于造船，称为造船坞；深的用于修船，称为修船坞。

优点：船舶呈水平状态建造，装配、检验方便；降低了分（总）段的起吊高度，机械化程度高，下水安全可靠，适合建造大型船舶。

缺点：投资大；建造尺度限制较大。

2. 工艺装备

为了保证船舶总装作业的顺利进行，在纵向倾斜船台上必须配置以下工艺装备。

图 3-61　造船坞

（1）船台中心线槽钢

船台中心线槽钢用槽钢或钢板条制成,嵌埋在船台中心线的地面上,其长度要比所建造的最大船舶的船长长 6~10 m,宽度为 100~150 mm,供造船时画船台中心线和肋骨检验线使用,作为分段或总段定位的依据。

（2）高度标杆

高度标杆垂直于水平面设置在船台的两侧,其上刻有基线、水线、甲板线以及其他高度理论线,作为船台上应用激光经纬仪和激光水准仪进行船台铺墩、分（总）段定位和检验的高度标准,分为塔式标杆（金属架制成）和杆式标杆（型钢制成）两种类型。

（3）船台拉桩

船台拉桩又称"地牛",埋置在船台地面处,供分段定位时拉曳用。

（4）脚手架（或作业台）

脚手架是船舶总装时配备的供人员往来和作业用的工作台架,通常有舷外脚手架和舱内脚手架两种。

（5）墩木

墩木又称楞木,是船台上支承船体的主要装备。它按布置位置分为龙骨墩和边墩;按材料分为金属墩、混凝土墩和木墩。

船台上除了配置有足够起重能力的高架吊车及主要工艺装备以外,还必须配置电力、压缩空气、氧气、乙炔、水及蒸汽的系统管路等动力供应设施。

水平船台除拥有以上工艺装备外,还须设置船台肋骨槽钢、船台小车和钢轨等移船设备。如图 3-62 所示为梳式滑道用的船台小车形式。

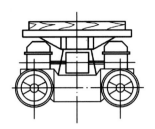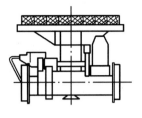

图 3-62　船台小车形式

3.7.3　船舶总装准备工作

1. 船台上的准备工作

(1) 画船台中心线

通常可用激光经纬仪在船台中心线槽钢上画出船台中心线,如图 3-63 所示。

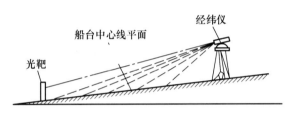

图 3-63　画船台中心线

(2) 画船台半宽线

在船台艏、艉尖点位置线上确定左右半宽点,过该点用画船台中心线的方法做出船台半宽线,并在半宽线上画出合拢缝前后肋骨位置,做出标记并用色漆标上肋骨号码。

(3) 画船台肋骨检验线

在船台中心线槽钢上逐档或间隔 5 挡画出肋骨位置线及分段大接头接缝线,并用色漆标上肋骨号码和分段号,如图 3-64 所示。

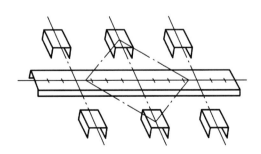

图 3-64　画船台肋骨检验线

(4) 画高度标杆上的高度线

根据放样部门提供的高度数值,在船台的高度标杆上画出基线、水线、甲板边线等全部理论高度线,作为水平软管、激光水平仪或激光经纬仪进行船台铺墩、分段吊装定位和检验高度的基准,如图 3-65 所示。

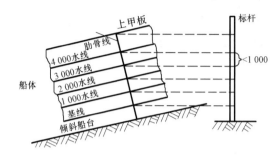

图 3-65　倾斜船台上高度标杆与船体高度线的关系

此外,船舶总装前,对船台两侧设置的高架吊车以及供施工用的压缩空气、水管、电路、乙炔、氧气等系统管路,均须进行检查。

2. 船体上的准备工作

(1)画出分(总)段的船台安装定位线

在船台装配前必须检查是否已画出各分段或总段上的船台安装定位线,以确定分段或总段在船台上的位置,保证船体尺度的正确性。

各种分段的定位线如下。

船底分段:分段中心线;分段基准肋骨线;分段水平检验线;内底板上舱壁位置线。

舷侧分段:水线 1 至 2 根(高的舷侧分段上下边各画一根);甲板边线;分段基准肋骨线(与船底同号);舱壁位置线。

甲板分段:分段中心线;分段基准肋骨线(与舷侧同号);舱壁位置线。

舱壁分段:分段中心线;水线 1 至 2 根。

(2)画出分(总)段的对合线

分段对合线是作为分段与分段对接时对准用的。通常在分段左右或上下各画一根与分段大接缝线垂直的短直线,长度为 a。对接的两个分段的对合线的位置应统一,以便对准定位,如图 3-66 所示。

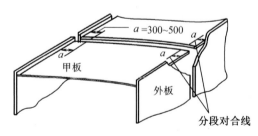

图 3-66　甲板分段对合线

(3)船台装配临时支撑的设置

船台装配临时支撑的作用在于保证分段在船台装配时的位置和型线,并作为分段和总段的支撑装置。例如,当舷侧分段未跨及舱壁时,则需要安装 1~2 道部分假舱壁,作为吊装舷侧分段的依靠。在安装甲板分段时,如果甲板分段没有适当的支撑结构(支柱、舱壁或甲板边板等),则需设置适当数量的临时支柱,作为吊装甲板分段时的依靠。

(4)安装吊环

吊环是分段和总段吊运翻身的主要属具,通常用钢板制成,分为有肘板和无肘板两种。吊环的数量需根据分(总)段开关及吊运翻身方式决定。吊环的布置应与分段重心对称,以保持吊环负荷的均衡和分段吊运的平稳。吊环通常应布置在分段的骨架交叉处。各个吊环的安装方向应与其受力方向一致,以免产生扭矩。按上述布置及安装要求,在分段装焊结束后,布置和装焊好起重吊环,如图3-67所示。

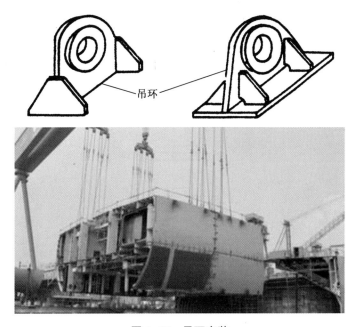

图3-67 吊环安装

3.7.4 船舶总装方式

由于产品对象和船厂生产条件各不相同,因此船台总装方式(也称为建造法)也是各种各样。它们都是根据船舶结构特点和船厂生产条件,按有利于平衡生产负荷、提高效率、缩短造船周期和改善劳动条件等原则来确定。

1. 单艘船建造

(1)总段建造法

总段建造法是以总段作为船体总装单元的建造方法。如图3-68所示,首先将船中部(或靠近船中)的总段(基准总段)吊到船台上定位固定,然后依次(图3-68中数字从小到大顺序)吊装前后的相邻总段,直至船体装配完成。

57 000 吨
散货船船坞
大合拢视频

优点:总段较大、刚性好,并有较完整的空间,能减少船台工作量和焊接变形,提高总段内预舾装程度,并可提前进行密性试验。

缺点:受船台起重能力、船台小车运送能力的限制。

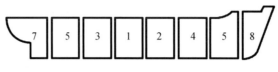

图 3-68　总段建造法

适用:用于建造中小型船舶。

(2)塔式建造法

船舶建造时以中部偏后的某一底部分段为基准分段(对中机型船也可取机舱分段),由此向前后左右,自下而上依次吊装各分段,在建造过程中所形成的安装区始终保持下宽上窄的宝塔形状,故称塔式建造法,如图 3-69 所示。

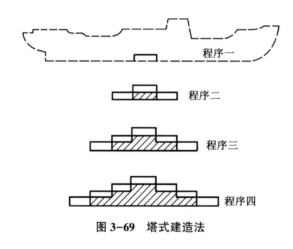

程序一

程序二

程序三

程序四

图 3-69　塔式建造法

优点:安装方法较简便,有利于扩大施工面和缩短船台周期。

缺点:焊接变形不易控制,完工后首尾上翘较大。

适用:建造船长较长的船舶。

(3)岛式建造法

岛式建造法是有两个或两个以上基准分段同时进行船体总装的建造方法。它是将船体划分成 2~3 个建造区(简称"岛"),每个岛选择一个基准分段,按塔式建造法的施工方法同时进行建造,岛与岛之间用嵌补分段连接起来。划成两个建造区的称为二岛式建造法,划成三个建造区的称为三岛式建造法,如图 3-70 所示。

优点:能充分利用船台面积,扩大施工范围,缩短船台周期,且其所需建造区长度较塔式建造法短,船体刚性较大,所以焊接总变形比塔式法小。

缺点:嵌补分段的装配定位作业比较复杂。

适用:常用来建造船长超过 100 m 的大型船舶。

(4)水平建造法

在船台上先将船底分段装焊完毕,再向上逐层装焊直至形成船体的造船方法,称为水平建造法,也称层式建造法,如图 3-71 所示(其中,$n_3 > n_2 > n_1$)。

优点:船体分段吊装时,初期投入物量比较多,从而使整个船台建造周期中吊装负荷比较均匀,有利于机舱区的扩大预舾装和缩短船台建造周期。

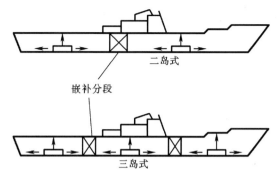

图 3-70　岛式建造法

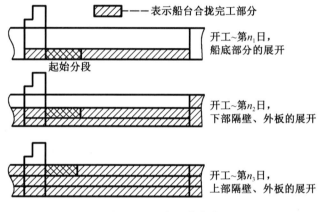

图 3-71　水平建造法

缺点:船台周期较长、焊接变形较大。

适用:建造船台散装件较多的船舶。

(5)两段建造法

两段建造法是将船体分为两段,在船台上、船坞内分别建成,在水下或坞内合拢成整个船体的建造方法,也称两段建造水上合拢法或坞内合拢法。这是在船台或船坞的长度不能满足需要的特殊情况下采用的方法,如图 3-72 所示。

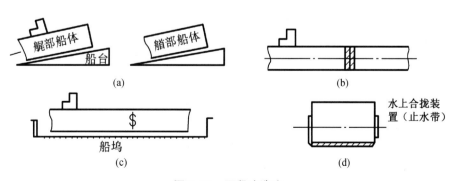

图 3-72　两段建造法

优点:可利用现有船台造大型船,节省基建投资,两段分别在船台上或坞内同时展开平行作业,可缩短船台周期。

缺点:水上合拢需建造庞大的隔水装置。

2.批量船建造

(1)串联建造法

串联建造法是在船台尾端建造第一艘船舶的同时,就在船台首端建造第二艘船的尾部,待第一艘船下水后,将第二艘船的尾部移至船台尾端,继续吊装其他分段形成整艘船体,与此同时,在船台首端建造第三艘船的尾部,依此类推,如图3-73所示。

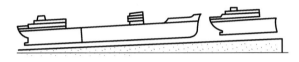

图3-73　串联建造法

优点:能大大提高船台利用率,缩短船台建造周期,提前进行舾装作业,对改善生产管理、均衡生产节奏具有许多优势。

缺点:只能在船台长度大于建造船舶的长度(约等于1.5倍船长)时才能采用,且在倾斜船台上采用此法时,还必须配置移船设备。

适用:批量建造大、中型船舶,特别是在批量建造艉机型船舶时,其优越性尤为突出,这是由于艉机型船的机舱和泵舱均位于艉部,艉段提早形成有利于早期舾装工作的开展。

(2)三阶段建造法

三阶段建造法是以在坞中舾装为目的,将建造工程分为几个阶段,以使船体和舾装的作业量均衡,并在坞中进行主机安装和试车,出坞后可立即进行试航,如图3-74所示。

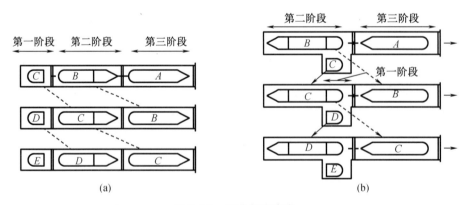

图3-74　三阶段建造法

3.7.5　船舶总装过程

船舶总装常用塔式、岛式等建造法,虽然建造方法不同,但在一个建造区内的分段吊装顺序和分段定位固定方法是相同的。以图3-75为例,说明以塔式建造法进行船台装配的工艺程序①。

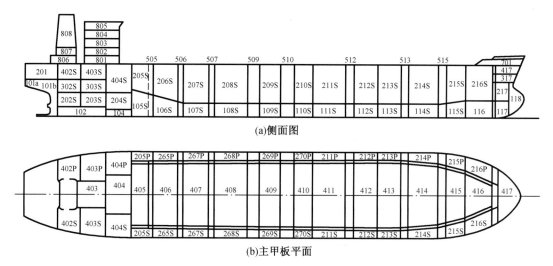

(a)侧面图

(b)主甲板平面

102~116 底部分段;101a、101b、201 艉部分段;202~204、302、303、402~404 机舱半立体分段;

505~515 横舱壁分段;205~216 舷侧分段;405~416 甲板分段;117、217、317、417、118 艏部分段;

801~807 上层建筑分段;808 烟囱分段;701 艉楼分段。

图 3-75　船体分段划分及安装程序图

1. 基准分段定位

基准分段,先吊装船台定位。

2. 底部分段装配

装配靠近基准分段的底部分段,图 3-75 中位置 106 分段定位后,向艏、艉安装底部 107、105 分段。其他底部分段可依次吊装。

3. 舱壁分段装配

吊装基准分段上的舱壁分段,当底部分段 105~107 安装好后,可安装 506、507 横舱壁分段。随着底部分段向艏部依次安装,508~515 横舱壁分段可依次安装。

4. 舷侧分段及机舱半立体分段装配

(1)当 506 横舱壁分段安装结束后,可安装 206 舷侧分段。随着横舱壁分段向艏艉依次安装,其他舷侧分段可依次安装。

(2)在底部分段 104、102 和舷侧分段 205 安装后,可以按顺序安装 204、203、404、202 及其他机舱半立体分段。

(3)向艏、艉方向继续吊装底部分段和舱壁分段。

5. 甲板分段装配

在 206 舷侧分段装配后,可从 406 甲板开始,随着舷侧分段向艏、艉的安装,依次向艏、艉吊装甲板分段。继续吊装底部分段、舱壁分段和舷侧分段,对已形成环形的船体部分,进行分段大接缝的焊接。

---

① 图 3-75 中 S 为船舶舷分段,P 为左舷分段,由于船舶为左右对称结构,图 3-75(a)为船舶右舷,所以侧面图中的大部分数字均带 S。文中提到的数字后无 S 或 P,代表的是两者均包括。

6. 舱室舾装

继续向艏、艉方向吊装底部分段、舱壁分段、舷侧分段和甲板分段,继续对装配完工的分段大接缝进行焊接,并对分段大接缝已施焊结束的舱室开展舾装作业。

7. 艉部分段装配

当机舱半立体分段安装后,即可依次吊装 101b、101a、201 艉部分段。

8. 艏部分段和艏楼分段装配

(1)当 216、416 分段装配结束后,可依次吊装 117、217、118、317、417 艏部分段。

(2)艏部分段安装后,可安装艏楼分段 701。

(3)继续完成分段大接缝的焊接工作和舱内舾装作业。

9. 上层建筑装配

当机舱部位各分段安装、焊接结束时,艉甲板已焊接完毕,就可依次吊装 801～807 分段。若起重条件允许可进行上层建筑整体吊装。在吊装及焊接上层建筑的同时,继续进行舾装作业。

10. 烟囱装配

吊装 808 烟囱分段。

上述装配顺序,可根据实际情况做出适当调整。

第4章 实现功能——船舶舾装系统

中国核潜艇之父——黄旭华

黄旭华,舰船设计专家、核潜艇研究设计专家,1924年2月24日(出生于广东省海丰县(今汕尾市田墘街道)),1949年毕业于国立交通大学船舶制造专业。黄旭华长期从事核潜艇研制工作,开拓了中国核潜艇的研制领域,是中国第一代核动力潜艇研制创始人之一,被誉为"中国核潜艇之父"。

最初,核潜艇参研人员只参加过苏制常规潜艇的仿制工作,至于核潜艇是什么样的,谁都没见过。没有90 cm厚钢材的加工设备,潜艇专用的特殊钢板的研制工作也没有开始,直到中国第一颗原子弹的成功爆炸才解决了核动力问题,"09工程"才取得了进展。

黄旭华带领设计人员搞出了比常规流线型潜艇水下阻力更小的水滴形潜艇,同时解决了核潜艇的操纵性问题。国外的技术封锁加大研发的困难程度。某国为加强导弹发射时艇身的稳定性,专门设计了一节舱来安放一个重达65 t的大陀螺,水下空间异常珍贵,占用了潜艇的黄金空间。经过反复计算、分析、研究,通过调整核潜艇内设备布局,黄旭华团队解决了65 t大陀螺的问题,为潜艇节省了空间,而且使摇摆角、纵倾角、偏航角、升沉都接近于零。

从1970年到1981年,中国陆续实现第一艘核潜艇下水,第一艘核动力潜艇交付海军使用,第一艘导弹核潜艇顺利下水,成为继美、苏、英、法之后世界上第五个拥有核潜艇的国家。

1974年8月1日(建军节)中共中央军委发布命令,将中国第一艘核潜艇命名为"长征一号",正式编入海军战斗序列。1988年中国核潜艇水下发射运载火箭试验成功,又成为世界上第五个拥有第二次核报复力量的国家。1988年初,核潜艇按设计极限在南海作深潜试验。黄旭华亲自下潜水下300 m,水下300 m时,核潜艇的艇壳每平方厘米要承受约300N的压力,黄旭华指挥试验人员记录各项有关数据,并获得成功,成为世界上核潜艇总设计师亲自下水做深潜试验的第一人。

由于严格的保密制度,长期以来,黄旭华不能向亲友透露自己实际上的工作,也由于研制工作实在太紧张,从1958—1986年,他没有回过一次老家海丰探望双亲。直到2013年,他的事迹逐渐"曝光",亲友们才得知原委。

2013年感动中国十大人物的颁奖词写道,时代到处是惊涛骇浪,你埋下头,甘心做沉默的砥柱;一穷二白的年代,你挺起胸,成为国家最大的财富。你的人生,正如深海中的潜艇,无声,但有无穷的力量。

试问大海碧波,何谓以身许国?青丝化作白发,依旧铁马冰河。磊落平生无限爱,尽付无言高歌!

思考:同学们,读过黄旭华老先生的事迹,你收获到了什么呢?

课程目标

1. 知识目标
(1)了解船舶舾装工程的基础知识。
(2)掌握舾装技术的发展过程。
2. 能力目标
(1)掌握舾装作业的内容。
(2)掌握舾装作业的分工。
(3)会正确描述舾装技术的发展三个阶段。
(4)能解析船舶舾装模块。
(5)会正确对舾装区域进行划分。

课前思考问题

船舶在完成基本结构的建造之后,是通过什么实现其各种功能的呢?

4.1 船舶舾装设备概述

船体建造工作的完成仅给船舶提供了一个可以漂浮的壳体,要使船舶完成预期的使命,还必须将各种船用设备、仪器、装置和设施安装到船上,这一工艺阶段称为船舶舾装。船舶舾装是指船体主要结构造完,船舶下水后的机械、电器、电子设备的安装。船舶舾装包括舱室内装结构(内壁、天花板、地板、门窗等)、家具和生活设施(炊事、卫生等)、涂装和油漆、梯和栏杆、桅杆、舱口盖等。在"壳、舾、涂一体化"思想以及成组技术理论指导下,随着造船工艺的不断改进,船舶舾装工程的地位也日益提高,舾装工作的进展顺利与否将会直接影响造船周期的长短,并且未来一段时期世界造船业的竞争更主要地体现在高技术船舶和船舶设备装备领域,因此需要我们更加重视船舶舾装设备的学习。

4.1.1 舵设备

1. 舵设备的组成

舵设备是保证船舶具有良好的操纵性的主要设备,作为船舶重要性能之一,其包含航向稳定性和回转性两个相互关联的性能。航向稳定性即船舶保持即定航向做直线运动的能力;回转性为船舶按需要由直线航行进入曲线运动的能力。

它由操纵装置、传动机构、舵机、转舵机构和舵等部分组成,如图4-1所示。操纵装置设于船舶驾驶室,它包括舵轮(操舵器)和舵角指示器。传动机构的作用是控制舵机的运转,它置于操纵装置和舵机之间。舵机提供转舵的原动力。转舵机构是将舵机的原动力转化为作用在舵柄上的转舵力矩。舵是依靠转舵后其上产生的水压力使船回转。此外,舵设备中还包括:当舵转到给定舵角时使舵机自动停止的自停装置;防止转舵超过最大允许舵角而导致设备损坏的限角装置——舵角限制器;作为备用,通常由人力操作的太平舵装置。

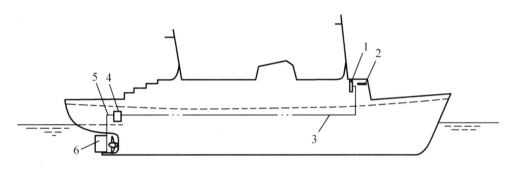

1—操舵器;2—舵角指示器;3—传动装置;4—舵机;5—转舵机构;6—舵。

图4-1 舵设备的组成

2. 舵的分类和选择

如图4-2所示为船后舵的主要形式,其分类如下所述。

按舵与船体连接方式分:

(1)置于舵柱或呆木后的双支承或多支撑的普通舵[图4-2(a)、(c)]。

(2)置于挂舵臂后的单舵销或多舵销的半悬挂舵[图4-2(b)]。

(3)直接悬挂于螺旋桨后的悬挂舵[图4-2(d)]。

按舵杆轴线在舵弦方向的位置分:

(1)舵杆轴线接近于舵前缘的不平衡舵[图4-2(a)]。

(2)舵杆轴线在离舵前缘某一位置处的平衡舵[图4-2(c)、(d)]。

(3)舵杆轴线在挂舵臂后的半平衡舵[图4-2(b)]。

按舵的剖面形状分:

(1)简单平板的平板舵[图4-2(e)]。

(2)由双面钢板构成流线型剖面的流线型舵[图4-2(f)]。

3. 特殊形式的流线型舵

除了常规舵以外,为了满足其操纵上的特殊要求,如增加舵效、提高推进效率、减小旋回圈直径和改善船舶在低速时的操纵性能等,常采用一些特种舵。其中,较为常用的有下面几种,如图4-3所示。

（1）反应舵

反应舵指在舵叶前缘的上下分别向左右舷相反方向扭曲一个角度，使其迎着螺旋桨排出的两股旋状水流。因此，这种舵也称迎流舵，其作用相当于一个导流叶，使尾流中的轴向诱导速度增大，以减小阻力，增加推力。

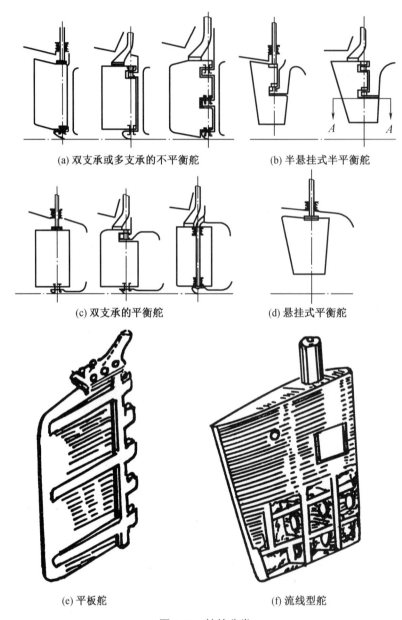

(a) 双支承或多支承的不平衡舵   (b) 半悬挂式半平衡舵

(c) 双支承的平衡舵   (d) 悬挂式平衡舵

(e) 平板舵   (f) 流线型舵

图 4-2　舵的分类

（2）主动舵

主动舵在舵叶的后端装有一个导管，导管内装设一个由设置在叶内的电动机驱动的小螺旋桨，转舵时，螺旋桨随之转动并发出推力，也增加了转船力矩。因此，即使在船舶低速甚至主机停车的情况下，操作这种舵也能获得转船力矩，从而大大提高船舶的操纵性。特别是对回转性要求高和离靠码头频繁的小船(如巡逻艇、领港船、渡船等)多有采用。舵上的螺旋桨也可以用作微速推进器,在有些科学考察船上也有应用。

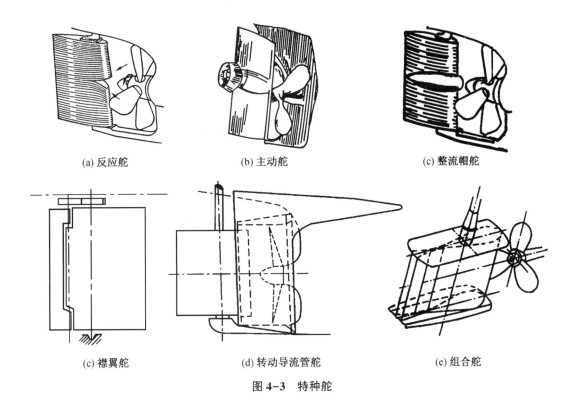

(a) 反应舵　　　　　　(b) 主动舵　　　　　　(c) 整流帽舵

(c) 襟翼舵　　　　　(d) 转动导流管舵　　　　　(e) 组合舵

图 4-3　特种舵

(3)整流帽舵

整流帽舵在流线型舵的正对螺旋桨轴线部位,装设一个圆锥形的流线型体,俗称整流帽。其作用是有利于改善螺旋桨排出流的乱流状态,从而提高螺旋桨的推力,改善船尾的振动情况。

(4)襟翼舵

襟翼舵由主舵和副舵两叶组成,即在普通主舵叶后缘装上一个称为襟翼的副叶,当主舵叶转动一个角度时,副舵叶绕主舵叶的后缘向相同一舷转出另一个角度,二者转动的方向是一致的,但副舵的转动角度比主舵的转动角度大。这样就相当于增加了舵剖面的拱度,从而产生更大的流体动力,提高了转船力矩和舵效。由于其流体动力特性在小舵角时表现良好,与飞机上的襟翼作用一样,故称之为襟翼舵。这种舵转舵力矩较小,因而所需的舵机功率也较小,但其结构比较复杂。

(5)转动导流管舵

转动导流管舵是拖船等船舶为了增加推进效率,在其螺旋桨外围套装导流管并在其后端处装一舵叶。这类舵有两种形式,一种是用焊接法将导流管固定在船尾骨架上,导流管不动而舵叶可以转动;另一种导流管与舵叶可在允许角度内一起转动。转动导流管舵除增加推进效率外,还可以起到保护螺旋桨,防止绳索缠入等作用。

（6）组合舵

组合舵是为了减少舵叶上下两端的绕流损失，进一步改善舵的流体性能，在流线型舵叶的上下两端各安装一块制流板或工字型舵。此外，为了在靠离码头时增加船舶的操纵性能，许多大型集装箱船等船舶在其艏部水线下安装了艏侧推器；有些拖船还安装了舵和螺旋桨功能合二为一的螺旋桨舵等。

4.1.2 锚泊设备

船舶的营运时间是由航行和停泊两部分组成的。船舶停泊的方式有两种，利用锚的抓力使船泊于水面一定位置的叫锚泊；用缆索使船可靠系结于码头、岸边、浮筒或相邻船的叫系泊。停泊设备的作用是保证船舶在水流、风和波浪等外力作用下仍能安全停泊而不产生严重的漂移。

1. 锚泊设备的组成

如图4-4所示为一般运输类船舶首部锚泊设备的布置情况。锚泊设备由锚、锚链、锚链筒、锚机、锚链管和锚链舱等组成。起锚时，开动锚机，在链轮的作用下，锚链通过锚链筒和掣链器，经锚机由锚链管进入锚链舱。锚则随着锚链的收起而先出土，上升离开水面，直至将锚干拉入锚链筒内，锚爪紧贴锚链筒口，而后关闭制（止）链器，抛锚时的动作相反。在船首部，一般在船首楼甲板上，都同时布置有锚泊和系泊设备。

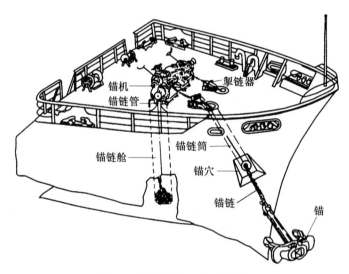

图4-4 艏部锚泊设备布置情况

船舶在停靠码头，装卸货物或在港内、港外停泊，如避风、临时作业或等候引航员等，都要求可靠地停泊。而船舶在停航时，由于船体受到风、水流以及摇摆时所产生的惯性力的作用，故须在船上设置专门的锚与系缆设备，使船舶与地面（水下地面、码头和浮筒等）牢固地系住以固定船位。

锚设备是船舶在水上抛锚停泊的"系留"装置。抛锚方式随不同的水域、气象条件和船只锚设备的布置情况而各有不同，如图4-5所示，通常有船首抛锚、船侧抛锚、船尾抛锚、船首尾抛锚及海洋工程作业船舶常用的辐射状锚泊（又称为多点锚泊）几种方式。

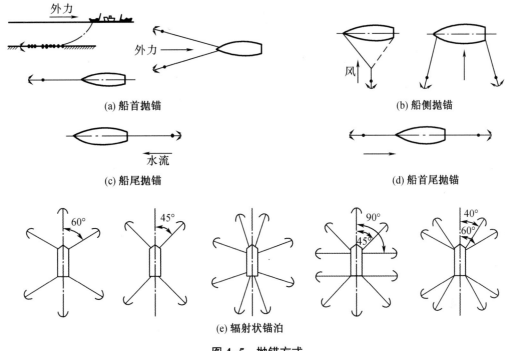

(a) 船首抛锚

(b) 船侧抛锚

(c) 船尾抛锚

(d) 船首尾抛锚

(e) 辐射状锚泊

图4-5 抛锚方式

锚设备还可以协助操纵船舶。例如,在航行中可能遇到有搁浅、触礁、碰撞等情况,可立即抛锚制动,减小船的惯性,避免危险。登陆艇登陆时,预先抛下艉锚;登陆后收紧艉锚,可使船脱离海滩,退入水中。在狭窄水道中,还可抛锚协助船舶掉头。

锚设备的特性取决于装置在船舶上的布置位置、锚的数量和重量、锚链的直径和长度、锚和锚机的型式。其中锚的布置位置决定了船舶的锚泊方式;锚的数量和重量、锚链直径和长度决定了船舶在不同的水深和海床地质的锚泊性能;锚的型式决定了船舶对锚的要求。

2. 锚的分类

锚是锚泊设备中的主要部件。锚应满足抓力大、入土性能好、能适应于多种底质以及便于收藏等要求。在各类船舶上使用的锚,有多种不同的形式,其中比较常用的有以下四类。

(1)无杆转爪锚

无杆转爪锚的型式主要由锚爪、锚柄(锚杆)、锚卸扣以及连接锚爪与锚柄的小轴和销等零部件组成。无杆转爪锚的型式较多,最具代表性且使用最多的是霍尔锚(图4-6)、斯贝克锚(图4-7)、波尔锚(图4-8)和AC-14锚(图4-9)。无杆锚对各种泥、砂底质均有较好的适应能力,且收藏方便,适用于各种船舶。

(2)有杆转爪锚

有杆转爪锚主要由锚头(锚爪)、锚柄、锚横杆、锚卸扣以及其他连接零件组成。有杆转爪锚的型式很多,目前国内外常用的有杆转爪锚有轻量型锚,如图4-10所示。目前国内外常用的另外几种有杆转爪锚,如图4-11所示。有杆转爪锚通常锚爪较长且面积较大,因此在砂及硬泥中抓力较大,在淤泥中抓力较小。

(3)固定爪锚

固定爪锚的锚爪和锚柄制成一体,称为锚体。固定爪锚有海军锚(图4-12)是有杆锚,其横杆设在靠近锚卸扣处同锚爪成交叉状。锚着地后,一旦受力,依靠横杆的支撑可使锚爪啮入底土。海军锚的锚体和横杆均为铸钢件。我国造船行业已制定海军锚标准。

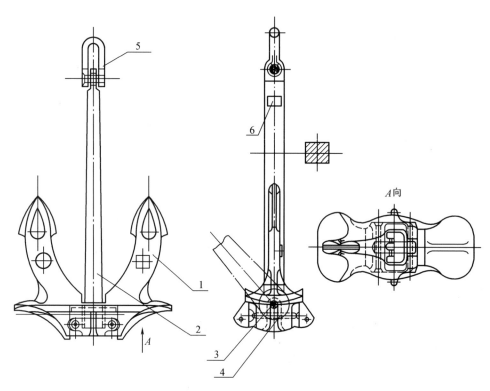

1—锚爪;2—锚柄;3—横销;4—横销;5—锚卸扣;6—标志处。

图4-6 霍尔锚

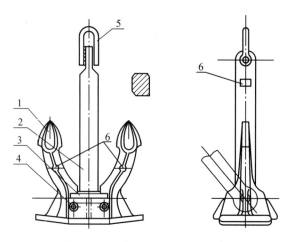

1—锚头;2—锚柄;3—小轴;4—横销;5—锚卸扣;6—标志处。

图4-7 斯贝克锚

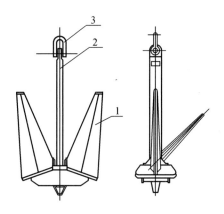

1—锚爪；2—锚柄；3—锚卸扣。

图 4-8　波尔锚

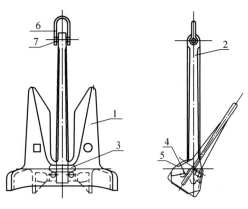

1—锚爪；2—锚柄；3—小轴；4—横销；5—封头；6—锚卸扣；7—锚卸扣横销。

图 4-9　AC-14 锚

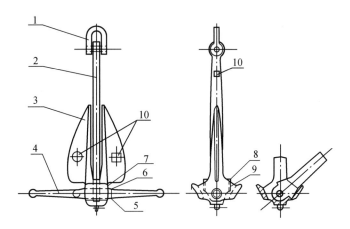

1—锚卸扣；2—锚柄；3—锚爪；4—锚横杆；5—垫圈；6—插销；7—小链；8—楔块；9—螺栓；10—标志处。

图 4-10　轻量型锚

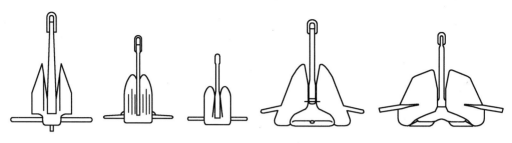

图 4-11　常用的有杆转爪锚

海军锚特别适用于砂、硬泥及砾石等底质,也可用于礁石底质。但海军锚始终有一个锚爪露出在底土外,容易造成锚索的纠缠,甚或危及在其上通过的船舶造成船底破损,且收放不方便。因此除特殊需要,目前已很少采用海军锚。

固定爪锚还有单爪锚(图 4-13)和四爪锚(图 4-14)。固定爪锚能适用于各种砂、泥甚至砾礁质底,由于其锚爪是固定的,所以使用时存在单爪易翻、多爪外露等缺陷,多用于内河船舶或工程打捞船舶,运输船舶一般不采用。

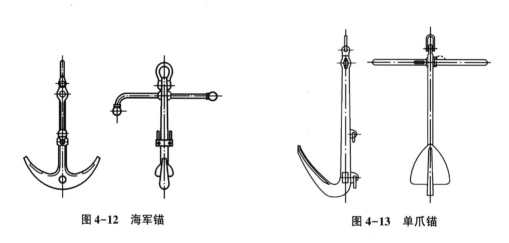

图 4-12　海军锚　　　　　　　　　　　　　　　图 4-13　单爪锚

(4)特种锚

特种锚是一些形状及结构较为特殊的锚,例如:菌形锚、半球型水泥锚、蛙式锚、飞箭埋式锚、吸力锚(又称负压锚)等,主要作为永久性系留用锚。

近年来在不增加锚重的条件下,通过改变锚的结构因素而提高抓力的大抓力锚发展很快。大抓力锚的抓重比至少 2 倍于相同质量的普通无杆锚。

3. 锚链

锚链由链环、转环、卸扣和连接链环等组成,是具有足够长度和强度的链条。其主要作用是传递锚的抓力以平衡停泊船舶所受的外力。当抛出锚链的悬垂状态变化时还可以吸收作用在船体上的动载荷,使船可靠停泊。锚泊时放出锚链的长度决定于水深,作用在船体上的风、水流等外力以及锚链单位长度的重量。在深水锚泊时,也使用由链条和钢索组合成的锚链以减小过长锚链自重造成的巨大拉力。

整条锚链是由长约 27.5 m 的短链段组成的,这种短链段称为"链节"。每链节之间用卸扣或可拆的连接链环连接。一条完整的锚链通常由若干链节构成。与锚连接的一端称为锚端链节;与船体眼板连接的一端,称为脱钩链节;与脱钩或弃锚器连接的链节称为末端链节;处于末端链节和锚端链节之间者,称为中间链节。

锚链的大小以链环的断面直径即锚链口径表示。链环按其结构分有档和无档链环两种。有档链环强度高、刚度大,使用中不易被拉长或发生扭结。所以近代船舶上的锚链凡口径在17 mm 以上的都采用有档链环。锚链的制造方法有以焊接取代铸造的趋势。

4. 锚链筒

锚链筒是贯穿外板和甲板的锚链导向孔道,也是无杆锚的收藏处所,一般设在船首两舷,有尾锚时,也设尾锚链筒。锚链筒的内径约为锚链口径的 9.5~10 倍。现代船舶上所设的凹入式锚穴有利于锚的收藏。设置凸出的锚台则可以避免在起抛锚时,锚和球鼻首等船体外壳发生碰撞。

5. 掣链器

掣链器设置于锚机与锚链筒之间,是用来固定锚链的设备,也是抛锚时船体上的受力点。掣链器牢固连接于甲板上以传递

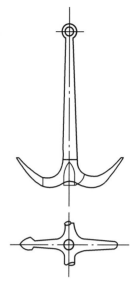

图 4-14 四爪锚

停泊时船体所受的外力。掣链器有多种型式,一般常见的有螺旋式掣链器和闸刀式掣链器,如图 4-15 所示。螺旋掣链器工作可靠、操作方便,但动作较缓慢。闸刀掣链器结构简单,工作可靠,但对大尺寸锚链则操作笨重。现代大型船舶上采用的滚轮掣链器则将导链滚轮和掣链器合为一体。

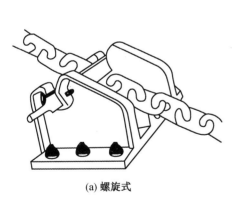

(a) 螺旋式

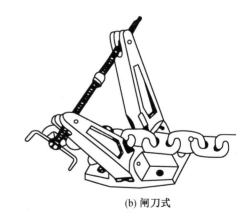

(b) 闸刀式

图 4-15 掣链器

6. 锚链管、锚链舱、弃链器

锚链管设于甲板上锚机处,引导锚链进出锚链舱。锚链舱是存放锚链的专用舱。为便于锚链收放和避免链条绞结,锚链舱一般都制成截面较小而深度较大的箱形或圆筒形结构,左右锚链分开存放。锚链舱的位置应尽量低,以降低锚链存放时的重心。锚链的末端固定于弃链器,以便在特殊危急情况下迅速抛弃锚和锚链而启航。

当锚泊时,锚钩到河底的障碍物或因水流过急,锚链不断滑出而锚机刹不住时,应通过

弃链装置把锚链迅速脱开而弃链。此种装置在锚链舱外或甲板上。其形式有螺旋弃链器,使用安全方便,在锚链受力绷紧状态时也能脱出,但其结构复杂,如图4-16(a)所示;横闩式弃链器结构简单,使用方便,只要敲出横闩即可松开锚链,如图4-16(b)所示。

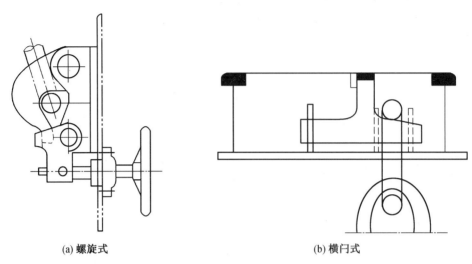

(a) 螺旋式　　　　　　　　　　　　　　(b) 横闩式

图4-16　弃链器

7.起锚机

起锚机用于船舶起锚时,收回锚链,使锚爪出土并把锚收回到船上来。起锚机按链轮轴线位置分,有卧式起锚机和立式起锚机(也称起锚绞盘)两种。卧式起锚机原动机、传动机构均设在甲板上,操纵管理方便,民用大中型船舶常用。立式起锚机的主要部分在舱室内部,占用甲板空间小,免遭风浪侵蚀,在战斗中有利于保护,军用舰船常用。起锚机按动力不同,可分为手动、汽动、电动、液压和内燃机驱动几种,其中以电动锚机应用得最为广泛。

4.1.3　系泊设备

1.系泊方式

船舶系缆停泊的方式随船只大小、码头情况而异,通常有三种系缆停泊方式,如图4-17所示;另外还有一种系泊系统,如图4-18所示。

(1)舷侧系泊

舷侧系泊是将船舶舷侧靠于码头或他船并进行系结,是最为常见的系泊方式。如图4-17(a)所示为舷侧系泊时缆索布置情况。舷侧系泊时缆索的根数由船舶所受外力大小而定。无风浪时只需带首尾斜缆,若有流的作用,需加设倒缆。若风和流的影响较大,为了防止船舶沿岸线移动或离开岸线,在船舶首尾及中部均需设置附加缆。有强烈的潮流和顶风时,尚需抛锚辅助。

(2)船尾系泊

船尾系泊是将船舶尾端系结于码头的一种系泊方式,如图4-17(b)所示。船尾系泊一般在码头岸线长度受限制的情况下采用;当多船并列系泊时在各船间做横向系结;风和水流较大时可在船首抛锚辅助;对于舰艇编队,船尾系泊有利于紧急启航;某些内河船、渡船常采用船尾系泊方式。

（3）艏艉系泊

艏艉系泊利用艏艉缆将船系结于港内或江中的浮筒上，如图4-17（c）所示。

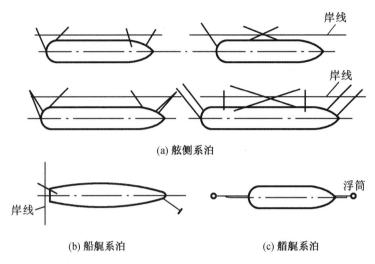

(a) 舷侧系泊

(b) 船艉系泊　　　　　　　(c) 艏艉系泊

图4-17　船舶系泊方式

（4）单点系泊系统

单点系泊是为了解决超级油轮的停泊或在海上供油轮进行装卸作业而发展了一种单浮筒系泊系统。由于油轮越造越大，超级油轮的载重量已超过50万t，虽然有些深水港可以停靠这些油轮，但世界上大多数天然港口的水位不够，因此，这些超级油轮装卸货物、燃料和水等就成了问题。在靠近海岸线的深水中，建立单浮筒系泊系统是解决这个问题的方法之一。

在这种系泊系统中，浮筒是通过呈放射状布置的锚与链（呈悬链线）固定在海上，油轮通过系缆系结在浮筒顶部转台上，若外力变化时，油轮将绕着浮筒旋转，直至平衡在一个受力最小的位置上。浮筒中央的旋转接头与油轮之间有浮动软管相连，油轮通过软管进行装卸作业。在远海区建造这样单浮筒系泊系统，便可利用油轮将海底原油输送到岸上，这要比铺设海底管道经济得多。

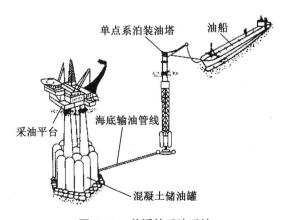

图4-18　单浮筒系泊系统

2. 系泊设备的组成

（1）缆索

缆索是指用于把船系于码头、浮筒、船坞或相邻船舶的专用绳索，常用的有钢丝缆、植物纤维缆、合成纤维缆及复合缆。钢丝缆有硬钢丝缆、半硬钢丝缆和软钢丝缆三种。钢丝缆强度大、重量轻、使用寿命长，为大、中型船舶的主要缆索。植物纤维缆通常有白棕绳、油麻绳等。植物纤维缆价格便宜、柔软，但强度和防腐性一般，多用于小船。合成纤维缆有锦纶绳、丙纶绳、尼龙绳等，锦纶绳、丙纶绳最为常用。合成纤维缆的特点是质地柔软、强度高、重量轻、耐腐蚀，应用广泛。复合缆是近年生产出的一种用金属与纤维复合而成的缆绳，缆绳每股均有金属丝核心，外覆纤维护套，有 3 股、4 股或 6 股的，可用于系船缆或拖缆，这种缆绳强度较大。

（2）挽缆装置

挽缆装置主要用于固定系船索的自由端。船舶首尾楼和船中部左右舷甲板等部位设有挽缆用的带缆桩，用以系牢缆绳的一端。带缆桩的受力很大，要求基座必须十分牢固，缆桩附近的甲板均需加强牢固。缆桩有铸造的，也有用钢板围焊而成的，因铸造带缆桩重量大，所以广泛采用焊接带缆桩。带缆桩类型很多，有单柱式、双柱式、单十字式、双十字式、斜式带缆装以及羊角桩等，大中型船舶多采用双柱式带缆桩。不同形式的带缆桩如图 4-19 所示。

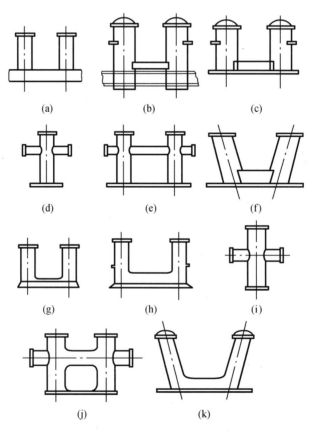

a—普通带缆桩；b—嵌入式带缆桩；c—简易带缆桩；d—单十字式带缆桩；e—双十字式带缆桩；f—斜式带缆桩；
g—直立式铸造带缆桩；h—挡板式铸造带缆桩；i—单十字式铸造带缆桩；j—双十字式铸造带缆桩；k—斜式铸造带缆桩。

图 4-19 不同形式的带缆桩

（3）导缆装置

导缆装置一般设在船首尾及两舷,能使缆绳按一定方向从舷内通向舷外,引至码头或其他系缆地点,限制其位置偏移,并减少缆绳与舷边的磨损,避免因急剧弯折而增大所受应力。导缆装置包括以下几部分。

①导缆钳

导缆钳一般设置在艏艉楼的舷墙上或甲板上。导缆钳的形式较多,有闭式和开式的、无滚轮和有滚轮的等,主要是以无滚轮和有滚轮进行分类的。导缆钳都是铸造的,有整体式和组合式两种。为减轻其对系缆的摩擦,大中型船舶都采用有滚轮的导缆钳,通常有单滚轮、双滚轮和三滚轮的导缆钳,如图 4-20 所示。

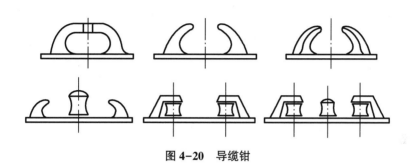

图 4-20　导缆钳

②滚轮导缆器

滚轮导缆器是设在船舷、由数个独立滚轮组成的导缆器,有单滚轮、双滚轮等类型。滚轮导缆器制造工艺简单,节省材料,多用于大型船舶,如图 4-21 所示。

③滚柱导缆器

滚柱导缆器设置在船舷边,由三个以上直立或者水平滚柱组成,用来引导来自各个方向的缆索,如图 4-22 所示。

图 4-21　滚轮导览器　　　　　　　　图 4-22　滚柱导览器

④导缆孔

导缆孔一般设置在主甲板的舷墙处。导缆孔有圆形的或椭圆形的,由铸铁或铸钢制成,通常安装在舷墙上,如图 4-23 所示。

⑤导向滚轮

导向滚轮是装在甲板端部、带有柱状滚筒的导缆器。常用于上下两层甲板间的导缆等。导向滚轮一般设置在大中型船首尾部导缆钳或导缆孔与系缆机械之间的甲板上,有直立式和水平式两类。导向滚轮通常作为配合锚机绞缆的导缆装置,如图 4-24 所示。

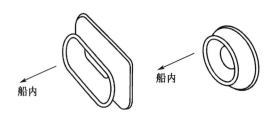

图 4-23 导缆孔

（4）绞缆机

绞缆机也称系缆绞车,主要用于收绞缆绳。船首绞缆机一般由锚机的卷筒进行;船中部的缆绳一般由起货机副卷筒收绞,在船尾甲板则另设绞缆机。有些大型船舶在船首和中部专设绞缆机。

按动力源分,绞缆机有电动绞缆机(图 4-25)、液压绞缆机、蒸汽绞缆机(适用于油船);按卷筒轴线方向分,有卧式绞缆机和立式绞缆机。普通卧式绞缆机的卷筒是由电机经过减速后驱动运转的,甲板占用面积大。立式绞缆机(又称系缆绞盘)因其动力装置一般设在甲板下面,所以占用的甲板面积少,并有利于保护机器。

图 4-24 导向滚轮

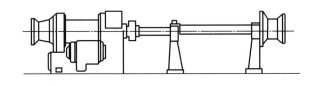

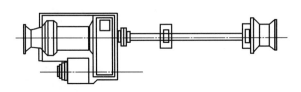

图 4-25 电动绞缆机

（5）钢索卷车

钢索卷车是卷存缆绳的装置,简称缆车。凡是用钢丝绳做系船缆的船舶都配有专用的织车,用来卷存钢丝绳,如图 4-26 所示。现在,不少大型船舶将钢索卷车直接与绞缆机的载荷轴相连,组成专用的绞缆机滚筒使之既能储存系船缆索,也能随时收绞和调节,使用更加方便。

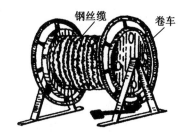

图 4-26 钢索卷车

3. 系泊模式

"系泊模式"这一术语是指船与码头间系泊缆索的几何布置方式。一般应用的系泊模式即系泊索的布置应能抵抗从任何方向来的外力。由于这些外力最终可以分解成纵向和横向分力,因此把系泊索的布置归结为纵向(倒缆)和横向(横缆)两类。这就是通常所说的一个有效的系泊模式的指导原则。

倒缆和横缆的功能各有不同。倒缆在两个方向约束船舶(船向前和向后);横缆仅在一个方向约束船舶(船离开码头),对着码头方向的约束是依靠碰垫和防撞桩。在一个推离码头的外力作用下,所有横缆将受力。按外力的方向,向后或向前的倒缆只有单向受力。如果各倒缆中有预拉力,则只有前后倒缆所受力的差,用于约束船只的纵向运动。

在某些系泊模式中,除了横缆和倒缆外还有艏艉缆,其典型模式如图4-27所示。其中艏艉缆抵抗纵向力的作用像倒缆,抵抗横向力的作用像横缆。艏艉缆在张紧状态下,其纵向分力方向相反,且互相抵消,因此对船舶纵向约束所起的作用不大。

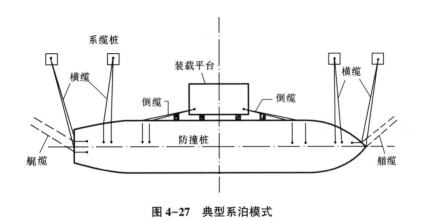

图4-27　典型系泊模式

4.2　舾装技术发展概述

船舶舾装主要包含船装、机装、电装等系统及其相关的管子、动力与控制装置的安装。舾装作业面广,工程量大,舾装工程量占船舶建造总工程量的50%~60%。

船舶舾装不但工程量大,而且具有工种多、工序多、品种多、工程庞大复杂、协作面广、技术综合性强、施工条件差、舾装周期长等一系列特点。因此,舾装技术的水平对提高舾装效率和舾装质量,改善劳动条件,实现安全生产,降低建造成本,大幅度缩短建造周期等方面,都具有重大影响。为此,发展舾装技术,已经成为各国船舶建造中研究的重要问题之一。

舾装技术的发展过程,大致可分为传统舾装技术、预舾装技术、区域舾装技术三个阶段。

4.2.1　传统舾装技术

传统舾装技术是先进行船体建造,船体完工后才开始舾装。舾装是在船体下水到交船的过程中在船上进行的工作。

在传统舾装技术下,设计部门按系统提供布置图或原理图,工艺部门按系统进行舾装工艺设计,生产部门按系统组织舾装施工,各种设备都是以单台(件)式进行安装,出现的局面是只重视设备的性能,不重视系统间设备的协调和作业的合理性,因而工作效率低,装配精度差。由于设计部门各专业都是按各自的系统单独设计,进行有限的协调,因此施工过程中大量出现各工种立体交叉、混合施工、相互影响、相互制约、争抢空间、你装我拆、拆了再装等现象。上述现象的后果造成施工环境混乱,返工严重,安全没有保障,舾装作业的质量和周期得不到保证。

总之,传统舾装技术是一种原始的施工方法,已逐步被新的舾装技术所取代。

4.2.2 预舾装技术

预舾装技术是对系统进行提前舾装的方法。由于舾装运用了综合放样技术,即根据船体结构的轮廓线,将船体舾装件、机电设备等按系统绘在图纸上或样台上,协调系统间相互位置的矛盾后绘制舾装件的安装图、零件图,制定清册和图表。对一部分舾装件,如对管子进行预制,部分船厂还建立了管子预制生产流水线,并开始了管子在船体分段上进行预装作业,从而使一部分舾装件实现了预舾装。不过,舾装件从车间制造到安装,仍然是按系统进行的,因此预舾装率不高,预舾装技术处于起步阶段。

所谓预舾装就是将传统的码头、船内的舾装作业提到分段、总段上船台前进行的一种舾装方法。预舾装是在船体分段上船台前将舾装件采用单元组装、分段预装和总段预装的方法在地面上进行平行的分散作业,从而使高空作业平地做,外场作业内地做,仰装作业俯位做,减少了码头、船内多工种的混合作业。预舾装改善了作业条件,减轻了劳动强度,提高了工作效率。

预舾装一般包括单元组装、分段预舾装和总段预舾装 3 项基本内容,其工程项目具体内容如图 4-28 所示。

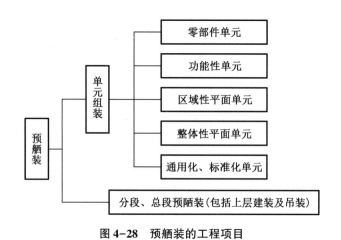

图 4-28　预舾装的工程项目

1. 单元组装

指舾装件(如机械设备、阀件、管路和仪表)按不同的特征和要求(区域、功能)先在车间内进行配套安装、调试,组合成单元或模块,然后吊上分总段或船台安装。

（1）零部件单元

指几个零件或部件的组合,是最小的组装单元。例如,灯与灯架组合,门框与门、拉手、锁的组合等。

（2）功能性单元

按舾装设备的功能特征组合成的单元。例如,主机活塞和缸套冷却水功能单元、主机润滑单元、日用供水单元、辅助锅炉给水单元等。

（3）区域性平面单元

将机舱或其他舱室划分为一定区域,并把区域内(如机舱花铁板以下)所有设备、管路阀件等,在公共支承结构上联成一平面,组装完毕吊上船安装。

（4）整体性平面单元

把机舱底部管系连同花铁板上的全部辅机,组成一个完整的大单元,在主甲板安装之前,将它吊入舱内定位安装。

（5）通用化、标准化单元

由于船舶主机类型不多,因此为主机服务的系统结构也基本相似。在大量建造组装单元的基础上,进行单元的通用化和标准化工作,从而产生了通用化、标准化单元,这些单元能安装在不同类型的船舶上。例如,带有两台流量为 3 t/h 分离器的燃油分离器标准单元,可安装在需要这种流量单元的任何类型的船舶上。

2. 分段预舾装

分段预舾装是在船体分段建造阶段,进行舾装件的安装工作。例如,甲板分段在平台(或胎架)上倒装的同时,或在装配结束尚未吊上船台合拢前,预先安装管子、管子阀件及其紧固件、风管、风管紧固件、电缆导板、机座等。

3. 总段预舾装

总段预舾装是在主船体建造的同时,在平台上制造上层建筑整个总段,完成其绝大部分的结构装配和焊接工作,以及舱室设备和属具的安装、装饰、涂装,然后把整个上层建筑吊到主船体上合拢。

4.2.3　区域舾装技术

区域舾装就是按区域进行预舾装的舾装方法。随着造船生产设计、成组技术等先进技术的推广和应用,造船技术由传统的按系统导向的造船方法逐步向按区域导向的造船方法发展。按区域导向的造船方法是将一艘船看作是许多区域的组合,由于各区域中所存在的系统和设备其复杂程度不同,因此可按不同的区域采用最适合该区域的设计和制造工艺,一切设计、计划船体建造和舾装均按船的"地理区域"进行。这种将设计、计划和生产紧密结合的造船方法就是区域造船法。

区域造船法突破了传统的按照船舶功能系统进行舾装设计和作业的方法。舾装按区域进行设计,绘制综合舾装图并在图上表示某一个区域内的所有设备和系统;按区域舾装的设计要求,绘制区域舾装的安装图,零件图、区域托盘的清册和图表等;根据设计区域进行舾装件的制造,共由一个综合施工组织完成该区域内的所有舾装安装作业。

采用区域舾装技术后,区域内的舾装件分解成各种单元,这些单元单独进行制造或组装,然后与该区域的船体零部件,在分段、总段制造各阶段进行安装。这样舾装与船体建造实行了平行作业。船体与舾装分道建造、有序组合,改变了舾装建造是船体建造的后续工序的传统工艺。

4.2.4 船舶舾装智能管理

现阶段,船舶舾装已向着标准化、模块化、数字化方向转变,船舶舾装现代模块化工艺的设计建造实践中,所有船舶系统整体上可划分成若干模块,实现对船舶设计建造周期的科学优化,使船舶舾装整个工艺更具标准化、规范化。船舶舾装和现代科技融合后,以往船舶建造耗时耗力的工艺得以优化。

在大数据技术的辅助下,在船舶舾装开展设计制造的全过程当中,可着重了解市场环境目前的变化和发展趋势,科学化地了解船舶舾装在设计制造期间的各种风险。船舶舾装以智能管理为基础,设计及生产制造船舶舾装效率得以提升,效益得以提高。我国船舶业近几年侧重于技术层面的创新优化,特别是船舶舾装,持续引入更多科学技术并积累实践经验,有效提升了船舶舾装科学技术的专业水准。智能管理现在已广泛应用于船舶业,而生产制造船舶领域中,船舶舾装占据核心位置。智能管理的应用,对船舶舾装传统生产制造工艺来说可起到优化作用,生产制造整体质量和效率可得到有效提升。

我国船厂及船舶研究设计实践中,多选用 TRIBON、CADDS5 系统软件。借助现代科技力量,船舶舾装过程智能水平可得到有效强化,可缩短船舶舾装整体设计制造实操周期。船舶舾装管理智能化,需先借助大数据、云计算、物联网等科学技术,将公共物流数据信息平台构建起来,借助系统平台预装实现船舶舾装的智能化装配及管理,实现数据信息优质共享,实时掌握船舶舾装业内数据信息,并实现深度合作交流,持续降低船舶舾装整体设计和生产制造成本,发挥智能化优势。同时,借助信息数据库生产出的零件,在实施质量合格与否及系统化检验期间,可借助特殊材料对零件表面位置喷涂特制的二维码,所含信息以零件材料、生产时间、尺寸大小、参与人员、存放位置等为主,还包含着船舶及建造段位相关信息数据,该部分信息数据同步录入至数据库内部。系统后台管理者可以该部分数据库为基础,及时掌握到零件生产作业质量、进程、技术员实际工作情况等相关信息数据,通过掌握该部分信息数据,生产建造实施计划可更好地制定出来,使生产作业者责任意识得以提高,船舶质量及生产作业效率均可得到有效提升。

二维码技术目前在船舶舾装零件管理中有着比较广泛的应用,由于所有舾装件均设二维码,故生产建造实操技术员可在船舶舾装厂区内无线网有效利用之下,通过移动装置实施二维码的扫描操作,以便于获取相关的零件信息数据,方便实时查询和调度零件信息,并且叉车对零件的二维码进行扫描,把零件同步放置于托盘上面,借助地面感应专项系统实施最近路线的自动规划及选定,把零件运送至所需制造加工段位,该段位工位经二维码扫描操作,对比分析运输零件和所需制造加工零件,若符合现行标准,便可自动将零件卸下,确保精准送达,省去大部分人力。

船舶舾装整个过程复杂性突出,智能化管理实现后,能够实时采集舾装生产制造所用信息数据,实现信息优质共享,及时发现和处理相关问题,确保船舶舾装高效完成生产制造。

船舶舾装思维导图,如图 4-29 所示。

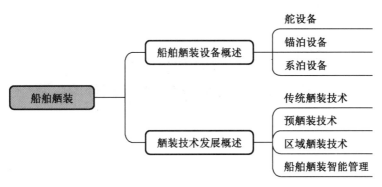

图 4-29　船舶舾装思维导图

第5章 船舶心脏——船舶动力设备及系统

中国制造——国产大飞机高级技师胡双钱

2006年,中国新一代大飞机C919立项。对胡双钱来说,这个要做百万个零件的大工程不仅意味着要做各种各样形状各异的零件,而且还要临时救急。一次,生产急需一个特殊零件,从原厂调配需要几天的时间。为不耽误工期,只能用钛合金毛坯来现场临时加工,这个任务交给了胡双钱。任务难度非常大,这个零件要100多万元,关键它是精锻出来的,成本相当高。因为它有36个孔,大小不一样,孔的精度要求是0.24 mm,相当于人头发丝的直径,这个本来要靠细致编程的数控车床来完成的零部件,那时只能依靠胡双钱的一双手,和一台传统的铣钻床,胡双钱仅用了一个多小时,36个孔悉数打造完毕,一次性通过检验,这也证明了胡双钱的"金属雕花"技能。

胡双钱坚守他做人的信念,埋头苦干、踏实钻研、挑战极限,数十年如一日。包括胡双钱在内的工匠们,他们没有多么高的学历、收入,而他们能够始终如一地追求着职业技能的极致化,靠着传承和钻研,凭着专注和坚守,缔造了一个又一个的"中国制造"。

思考:同学们,你们眼中的"中国制造"是什么样子的呢?

课程目标

1. 知识目标
(1)熟悉船舶动力装置的主要设备。
(2)了解船舶动力装置安装工艺发展。
2. 能力目标
熟悉船舶动力设备安装流程。

课前思考问题

你熟悉哪些船舶动力设备?

5.1　船舶动力设备概述

船舶动力装置的主要任务是为船舶提供各种能量和使用这些能量,以保证船舶的正常航行与安全;人员的正常生活与安全;完成各种作业等。所以船舶动力装置是各种能量的产生、传递及消耗的全部机械设备与系统的有机组合体,它是船舶的一个重要组成部分。

船动力装置中的机械、设备和系统,包括动力机械、工作机械、传动设备、滤清和储存设备、热交换器以及动力管系、全船管系和机舱自动化设备。

根据动力装置中各种能量的形式和特点,船舶动力装置可分为以下几个部分。

5.1.1　推进装置

推进装置是指在给定的条件下,保证船舶正常航行所需的推进力的一整套设备,其中包括:主机、船舶轴系、传动设备、推进器。

1. 主机

主机是指推进船舶航行的动力机,是动力装置的最主要组成部分。常用动力装置有柴油机、蒸汽轮机、燃气轮机等。

（1）柴油机

柴油机热效率高,功率范围广,具有起动迅速、维修方便、运动安全、使用寿命长等特点,在船舶应用上柴油机作为主机和辅机占有统治地位(图5-1)。绝大部分内河及沿海小型船舶中,都以柴油机作为主机和辅机,在远洋船舶中,30 000 t以下的船舶几乎全部用柴油机做主机。

图5-1　柴油机

（2）蒸汽轮机

蒸汽轮机具有单机组功率大、工作可靠、能燃用劣质燃油等优点,曾在20世纪六七十年代的大型油船、集装箱船以及中型水面舰艇中占据垄断地位(图5-2)。但自1973年的石油危机以来,大型油船势头锐减,船舶动力装置转向节能,提高经济性发展。汽轮机动力装置的优越性就显著下降。

图 5-2 蒸汽轮机

(3)燃气轮机

燃气轮机是所有船舶动力装置中,单位功率质量最轻、体积最小的推进动力装置,并且其具有起动迅速,工况变化容易等优点(图 5-3)。近年来,燃气轮机的油耗也有所下降,其寿命不断提高。燃气轮机不仅在高速快艇上,而且在护卫舰、驱逐舰等大中型舰艇上应用都非常广泛。

图 5-3 燃气轮机

(4)联合动力装置

联合动力装置是由两种不同形式的推进装置组成的。主要有蒸汽——燃气联合动力装置、燃气——燃气联合动力装置、柴油机——燃气联合动力装置三类。联合动力装置主要用在舰艇上,如大型高速炮艇、猎潜艇、护卫舰、驱逐舰和巡洋舰艇等。

(5)核动力

核动力装置是以原子核的裂变反应所产生的巨大能量通过工质(蒸汽或燃气)推动汽轮机或燃气轮机工作的一种装置(图 5-4)。因其核裂变反应释放出大量的放射性物质,对人体有严重的杀伤作用,污染环境,并且造价昂贵操作系统管理复杂,技术要求高,民用船舶应用较少。

2.轴系

船舶轴系的任务是将主机的功率传给螺旋桨,又将螺旋桨旋转所产生的轴向推力传给船体(图5-5)。其主要部件有推力轴及其轴承、中间轴及其轴承、艉轴及艉轴承、人字架轴承、艉轴管及密封装置、各轴的联轴节。有些船舶还有短轴,用来调整轴系的长度。

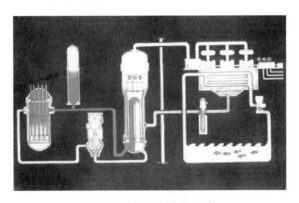

图5-4　核动力装置系统

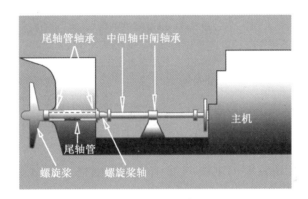

图5-5　船舶轴系

3. 传动设备

传动设备是将主机动力传递接通或断开给推进器的中间部件,主要包括起接合或断开作用的离合器、减速箱(图5-6)和联轴器等。

图5-6　减速箱

4. 推进器

船舶推进器是将主机发出的功率转化为推船前进的推力设备。其种类很多,使用最为普遍的是螺旋桨推进器(图5-7)。为满足不同船舶的特殊要求,在实践中还创造了其他特种推进器,如导管螺旋桨、可调螺距螺旋桨、串列螺旋桨、对转螺旋桨、直翼推进器、喷水推进等。

图 5-7 螺旋桨推进器

5.1.2 辅助装置

辅助装置是指提供除推进装置以外的其他所需能量的设备,以供船舶航行、作业及生活,其中包括:发电机组、辅助锅炉装置、压缩空气系统、船用泵以及其他设备。

1. 发电机组

发电机组供应全船所需要的电能,主要有柴油发电机组、汽轮发电机组、轴带发电机组、余热发电机组,以及为它们服务的管系和设备。

2. 辅助锅炉装置

辅助锅炉装置产生的蒸汽供全船加热取暖等所需的热能,主要有辅助锅炉或余热锅炉,以及为它们服务的管系和设备(图5-8)。

图 5-8 船用锅炉

3. 压缩空气系统

压缩空气系统供应全船所需的压缩空气,以满足作业、启动及船舶用气等需要,主要有空气压缩机、贮气瓶、管系及其他设备。

4. 船用泵

船用泵在船上负责水和油的泵送。包括活塞泵、回转泵、齿轮泵、离心泵、喷射泵等。

5. 其他设备

制冷装置、空调装置及海水淡化装置等。

5.1.3 船体管路系统

船舶管路系统用来连接各种机械设备,并输送有关工质的成套设备,由各种阀件、管路、滤器、热交换器、仪表等组成。按用途不同管路系统可分为动力管路系统、船舶管路系统。

1. 动力管路系统

动力管路系统主要用来为主机和辅机服务的管路系统,它包括燃油、润滑、冷却、压缩空气、排气及废气利用等系统。

2. 船舶管路系统

船舶管路系统主要用来为船舶的平衡性、稳性、人员生活及安全服务的管路系统(图5-9),包括舱底水、压载水、生活水、消防水、通风、空调、冷藏等系统。

图5-9 船舶管路系统

5.1.4 甲板机械设备

甲板机械设备是保证船舶航行和停泊及装卸货物所需的设备,包括:锚泊机械设备、操舵机械设备和起重机械设备。

1. 锚泊机械设备

锚泊机械设备由锚机(图5-10)、锚链、止链器、锚链筒、锚等组成。

2. 操舵机械设备

操舵机械设备由舵、舵机(图5-11)、转舵机构、操纵机构等组成。

3. 起重机械设备

起重机械设备由起货机(图5-12)、吊艇机及吊杆等设备组成。

图 5-10 锚机

图 5-11 舵机

图 5-12 起货机

5.1.5 自动化设备

自动化设备是保证实现动力装置远距离操纵与集中控制,以改善工作条件、提高工作效率及减少维修工作等,主要有自动控制与调节系统、自动操纵系统及集中监测系统。

5.2　船舶动力设备安装工艺发展

现代船舶建造以壳、舾、涂一体化为指导思想,主要采用了分段(总段)造船法。所谓分段建造法,就是把预先在车间装配焊接好的各个分段吊运到船台上装配成船体;而总段建造法是将装配焊接好的中部总段吊运到船台安装定位,然后将其首、尾方向相邻的总段吊上船台进行安装,并完成大接缝的焊接工作。以此类推,直至最后装配成完整船体。由于船体分段(总段)建造法的采用,促进了船舶建造工艺的改进,缩短了船舶建造周期。工艺改进主要有:

(1)船舶管系放样,管子的预制;

(2)船舶管系的分段预装与单元组装;

(3)专用船舶设计软件在管系施工设计与制造中的广泛应用;

(4)辅机成组与功能性单元在船上安装;

(5)用激光或光学仪器定位主机,大型主机整机吊装,主机安装采用环氧树脂垫片;

(6)用光学法确定轴系理论中心线,在船台上用轴承负荷法安装轴系;

(7)锅炉的整体安装

(8)安装工作的机械化,如用小型液压千斤顶代替顶压螺栓调整主机位置、用液压技术安装螺旋桨等。

5.3　船舶动力设备安装流程

船舶动力装置安装指所有船舶动力设备在船上的安装,本项目以船舶轴系安装为例进行讲解。轴系安装工艺主要内容有:

(1)确定轴系理论中心线;

(2)按轴系理论中心线,进行镗削艉柱壳孔或人字架壳孔及开隔舱壁填料函孔;

(3)安装艉轴管、艉轴管轴承、艉轴、艉轴密封装置以及螺旋桨;

(4)安装中间轴、推力轴等,并做好校中;

(5)安装主机,并做好主机定位;

(6)上述对中工作完毕后,将轴系和各法兰进行连接和固定。

船舶动力装置安装工作包括内场(车间)和外场(船上)两大部分。内场工作包括轴系配对、艉轴装配、艉轴管装配、艉轴管密封装置装配、联轴节装配、螺旋桨装配等;外场项目包括确定轴系理论中心线、镗削轴系孔、安装轴系零件及附件等。

第6章 点亮船舶——船舶电气系统

过河的驴子

一头驴子背盐渡河,在河边滑了一跤,跌在水里,盐溶化了。驴子站起来时,感到身体轻松了许多。驴子以为获得了经验。后来有一回,它背了棉花,走到河边的时候,便故意倒在了水里,可是棉花吸收了水,驴子不能再站起来,直到淹死。

安全生产切莫迷信某些"经验"!驴子为何死于非命?因为它过分依赖"经验",而不知这些通过"偶然"机会得来的经验并不可靠。我们联想到电力施工过程中,有的员工不按照安全规程来操作,却发现从某种程度上讲,简化了工作程序,降低了劳动强度。由此,这些员工便错误地把这些违章操作奉为宝贵"经验",并自得其乐。

大家都知道海恩法则:按照统计,每一起严重事故的背后,必然有29起轻微事故、300起未遂先兆以及1000起事故隐患。因此,在这些员工违章操作中,可能一次两次没事,十次百次也没事,但聪明终被聪明误,在特定的生产条件下,当再次施展这些小聪明时,很可能"经验"就会变"事故"。

因此,就目前来说,电力安全规程是供电系统安全生产最宝贵的经验,也是唯一的实践经验,任何违章操作而获得的经验都是"伪经验"。安全没有捷径,电力安全规程是用血的教训写出来的,只有把安全规程牢记心中,不折不扣的遵守规程制度,才是确保安全生产的根本所在,如果不能及时纠正错误思想而我行我素,结果只能像驴子一样死于"经验"。

课程目标

1. 知识目标

(1)了解船舶电气设备安装的典型工艺环节。

(2)了解船舶电气设备安装的工艺要求。

(3)掌握船舶电气设备安装基本方法。

(4)掌握船舶电气接地基本方法。

2. 能力目标

(1)能完成船舶电气设备安装与调试。

(2)能完成各种船舶电气设备接地施工。

船舶所需要的各种电气设备和装置是怎样安装到船舶的舱壁和甲板上的?

6.1　船舶电气系统的认识

6.1.1　船舶电气系统的组成

1. 船舶电站

船舶电站是由原动机、发电机和附属设备(组合成发电机组)及配电板组成的。船舶上常配置多种电站。

(1)主电站,正常情况下向全船供电的电站。

(2)停泊电站,在停泊状态又无岸电供应时,向停泊船舶的用电负载供电的电站。

(3)应急电站,在紧急情况下,向保证船舶安全所必需的负载供电的电站。

(4)特殊电站,如向全船无线电通信设备(如收发报机等),各种助航设备(雷达、测向仪、测深仪等),船内通信设备(如电话、广播等)以及信号报警系统供电的电源。这类用电设备的特点是耗电量不大,但对供电电源的电压、频率、稳压和稳频的性能有特殊的要求。因此,船上有时需要设置专门的发电机组或逆变装置向全船弱电设备或专用设备供电。

2. 船舶电网

电能从主配电板(应急、停泊配电板)通过电缆的传输,经过中间的分配电装置(区配电板、分配电箱等),送往各电气用户,形成的电力网络即为船舶电力网。船舶上各性质相近的用电设备都由相应的单独电网供电。

(1)船舶电力网,由总配电板直接供电,供给各种船舶辅机的电力拖动。

(2)照明电网,提供船舶内外照明。

(3)弱电装置电网,包括电传令钟、舵角指示器、电话设备、火警信号及警铃等。

(4)应急电网,包括应急照明、应急动力(如舵机电源)、助航设备电源等。

(5)其他装置电网,如充电设备、手提行灯等。

3. 电力拖动系统

电力拖动系统用来完成船舶上的各种机械的拖动。

4. 照明系统

照明系统用于船舶上的不同位置和要求的照明。

5. 船内通信系统

船内通信系统用于船舶上语言信息或指令的传递。

6. 电气信号系统

电气信号系统用于船舶上各种呼叫、报警等非语言信息或指令的传递。

7. 船舶操纵系统

船舶操纵系统用于船舶的操纵和控制。

8. 航行信号灯系统

航行信号灯系统用于船舶的航行和进出港的信号指示。

9. 助航仪器系统

助航仪器系统用于船舶的空间定位及天气测定。

10. 无线电通信系统

无线电通信系统是船舶在海上航行时,与陆地、其他船舶、飞机等进行通讯联系的重要工具。

11. 电气测量系统

电气测量系统用于船舶上各种电气设备或系统的电气参数的测定。

6.1.2　对船舶电气设备参数的有关规定

1. 额定电压

(1)一般固定设备

一般固定安装的电气设备的额定电压不应超过以下规定值。

①直流:250 V。

②交流:三相 500 V;单相 250 V。

(2)可携设备

一般可携式电气设备,其额定电压不应超过以下规定值。

①照明:24 V。

②电气工具及通风机:36 V。

(3)推进装置

电力推进装置的额定电压不应超过以下规定值。

①主电路:直流为 1 000 V;交流为 6 300 V。

②励磁电路:交、直流均为 220 V。

③控制电路:直流为 220 V;交流为 380 V。

2. 额定频率

(1)一般交流电气设备的额定频率应为 50 Hz。

(2)特殊设备的额定电压和电力推进装置额定频率可参见有关技术文件。

6.1.3　船舶配电系统线制

1. 直流配电系统

(1)双线绝缘系统,即直流电源线的正、负极均与金属船体结构绝缘,且为双线供电系统。油类船舶必须采用这种线制。

(2)负极接地双线系统,即直流电源线的负极与船体金属结构相连,且仍为双线供电系统。非油船类的各种船舶均可采用这种线制。

(3)以船体做负极回路的单线系统,即直流电源线中的负极与船体金属结构相连,由另一个极单线供电。因其安全性较差,故必须上报审批后方可实施。

2. 单相交流配电系统

(1)双线绝缘系统,即交流电源线的相线、中线均与金属船体结构绝缘,且为双线供电系统。油类船舶必须采用这种线制。

(2)一线接地的双线系统,即交流电源线的中线与金属船体结构相连,且为双线供电系统。非油船类的各种船舶均可采用这种线制。

（3）一线以船体做回路的单线系统，即交流电源线的中线与船体金属结构相连，并以此为中线，由另一根相线单线供电。因其安全性较差，故必须上报审批后方可实施。

3. 三相交流配电系统

（1）三线绝缘系统，即三相供电系统中的三根相线和中线均与船体结构绝缘，且为三相供电系统。油类船舶必须采用这种线制。

（2）中线接地的四线系统，即三相四线制供电系统的中线与船体金属结构相连，且为四线供电系统。非油船类的各种船舶均可采用这种线制。

（3）中线接地并以船体做中线的四线系统，即三相四线制供电系统的中线与船体结构相连，并以此为中线，由另外三根相线供电。因其安全性较差，故必须上报审批后方可实施。

6.2 船舶电气设备安装与调试

6.2.1 船舶电气设备安装基础知识

船舶电气设备安装贯穿船舶建造整个过程，是将各种电气设备通过设备支架或基座固定在船体结构上，包含的工艺环节有设备支架或基座的安装、设备的安装和紧固、电气设备接地。

船舶电气设备是船舶的重要组成部分，在船舶电力传输、电气控制、航行辅助、无线电通信、日常生活等方面必不可少，小到照明开关、灯具，大到主配电板，安装环境条件不同，安装的方式不同，安装的要求也不同。由于船舶工作环境的特殊性，船舶电气设备极易受到外界环境影响，因此，船舶电气设备安装工艺、电气接地工艺及特殊防护工艺的好坏直接影响船舶航行的可靠性。

6.2.2 船舶电气设备安装

1. 船舶电气设备安装的规范要求

（1）设备安装的总体要求

①符合规范。船舶航行于不同国家或地区的海域、河流中，航行区域广泛。由于船舶用途的不同，船舶的种类繁多，有货船、油船、客船、拖船、军舰等。为了有利于船舶检验部门的统一监督和管理，船舶电气设备的安装和施工务必要符合我国或国际的造船规范，这样，船舶的可航行性才能得到国内或国际的航运和港务部门的广泛认可，船舶才能获准投入运营。

②安全可靠。由于船舶航行条件比较恶劣，要经受海浪的袭击，海水盐雾和机舱中的油、水、蒸汽等的侵蚀，再有一些设备在航行中不便检修，如舵机、泵系统、航行灯、信号灯等，所以船舶电气设备的选择和安装必须要可靠耐用，否则，船舶随时都有发生事故的可能。

③布局合理。船舶的空间位置极为有限，要想充分利用空间，必须合理地布置和安装船舶电气设备。在布置和安装的过程中，要确保电气设备的可操纵性、可维修性，以达到最佳的利用率；同时还要兼顾相邻电气设备之间的联系以及全船电气设备之间的合理有序。

④经济美观。船舶电气设备从计划到施工安装的整个过程中，需要精心设计、减少消

耗、注重提高经济效益。与此同时,船舶电气设备在安装时还需考虑美观大方,因为船员长期生活在海上,需要美观舒适的环境;这样,既可以提高工作效率,又能够消除船员的疲劳。

(2)船舶电气设备安装基本原则

①设备安装必须拆装方便,高度适宜,设备门应能自由回转 90°以上,以便于对设备内部元器件进行维护和保养。

②设备安装必须使用方便,原则上要做到就近控制,以便能及时迅速地通断电源。如电动机的控制器,在安装时应尽量靠近它所控制的电动机。

③设备安装应尽量避开高温和剧烈振动的场所,并注意防止水、油、潮湿、蒸汽等有害物质的侵蚀,避免设备上方有液体或气体的管接头,潮湿场合其进线填料函应避免朝上。对于可能产生易燃气体的场所,必须安装防爆电气设备。

④设备安装应整齐、无歪斜现象,不应使设备箱体结构因受外部应力作用而发生变形。覆板上质量 20 kg 以上的设备应有预埋件,以提高设备安装的可靠性;覆板内的设备应有可拆卸且带有标记的盖板,以便于维护和识别。

⑤设备安装时电缆的引进要方便简捷、节省材料,并符合电缆弯曲半径的要求。若电缆弯曲半径为 R,电缆的外径为 D,则至少应满足 $R \geqslant 4D$。

⑥任何电气设备不能直接焊装在主甲板和水线以下的船壳板上,以防止降低船体的机械强度和水密性。

⑦电机在安装时,其转轴应分别平行于船舶的艏艉线或垂直于船舶的水线平面,以避免其工作时给船舶航行带来影响。机组应有共同的底座,传动带、链或联轴器等机构应设有防护罩。布局上应考虑有足够的维修空间。

⑧当船舶主配电板在安装时,其前后应分别留有宽度不小于 0.8 m 和 0.6 m 的通道,且应铺有橡皮绝缘踏板。当配电板(海船上)的长度超过 4 m 时,其两端均应设门,以便在应急情况下能通、断电源。配电板附近原则上不应敷设各种液体、气体管道,若不能避免,则管子不应有可拆的管接头。

⑨工作电压、工作温度较高的电气设备,应进行安全防护,以防止触电或烫伤,发热量大时,应考虑防火问题。

⑩对于经常操作的电气设备,其操作位置中心的高度一般为 1.5 m。大小不一的几个设备安装时可以其底面为统一基面进行布置。

⑪电压超过 50 V 的带电部分应进行防护,发热的电气设备应考虑防火,外壳温度超过 80 ℃的电气设备应加防护罩。

⑫不得在水密舱室壁板及甲板上打孔安装设备。

⑬电气设备和电缆不得安装在船体的外板上。

⑭电气设备的金属外壳必须与船体进行可靠的连接。

⑮当一种金属支架的电气设备要安装到另一种金属的基板上时,其接触面应加绝缘衬垫,以防止电解腐蚀。

⑯在应急报警电气设备的安装时,其操作部分的标志或标牌应使用醒目的颜色。

(3)设备防护等级要求

①设备的 IP 防护等级(外壳防护等级)的区分。按照 IP 国际防护和防水试验标准,将电器依其防尘防湿气的特性加以分级。这里所指的外物含工具,人的手指等均不可接触到电器内之带电部分,以免触电。IP 防护等级是由 IP(INGRESS PROTECTION)加上两个数

字所组成,第一位数字表示电器防尘、防止外物侵入的等级,第二位数字表示电器防湿气、防水侵入的密闭程度。船舶设计和船舶施工均应按 IP 防护等级的要求进行。一般会将防护等级标记在设备的铭牌上,如图 6-1 所示。

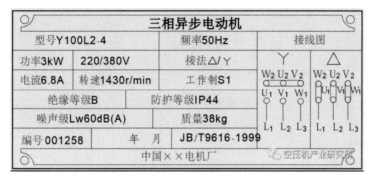

图 6-1 设备铭牌

防护等级具体内容如表 6-1 所示。

表 6-1 设备的 IP 防护等级

第一位	防护等级简述(固体)	第二位	防护等级简述(液体)
0	无防护	0	无防护
1	防护 50 mm 直径和更大的固体外来物。防护表面积大的物体比如手(不防护蓄意侵入)	1	防护水滴(垂直落下的水滴)
2	防护 12 mm 直径和更大的固体外来物。防护手指或其他长度不超过 80 mm 的物体	2	设备倾斜 15° 角时,防护水滴。垂直落下的水滴不应引起损害
3	防护 2.5 mm 直径和更大的固体外来物。防护直径或厚度超过 2.5 mm 的工具、金属线等	3	防护溅出的水。以 60° 角从垂直线两侧溅出的水不应引起损害
4	防护 1.0 mm 直径和更大的固体外来物。防护厚度大于 1.0 mm 的金属线或条状物	4	防护喷水。当设备倾斜正常位置 15° 时,从任何方向对准设备的喷水不应引起损害
5	防护灰尘。不可能完全阻止灰尘进入,但灰尘进入的数量不会影响设备的正常运行	5	防护射水。从任何方向对准设备的射水不应引起损害
6	不透灰尘,无灰尘进入	6	防护大浪。大浪或强射水进入设备的水量不应引起损害
		7	防护浸水。在定义的压力和时间下浸入水中时,不应有能引起损害的水量侵入
		8	防护水淹没。在制造商附有说明的条件下设备可长时间浸入水中

②安装位置的防护等级举例如表6-2所示。

表6-2　安装位置的防护等级举例(最低要求)

安装位置举例	安装位置的状况	防护等级设计
油船: 蓄电池室 油漆储藏室	有爆炸危险	合格安全型 (指需要提出附加要求)
干燥的居住处所 干燥的控制室	仅有接触带电部件的危险	IP 20
控制室(驾驶室) 花铁板以上的机炉舱 舵机舱 应急发电机室 一般储藏室 配餐室	有滴液和(或)中等机械损伤危险	IP 22
盆浴室淋浴室 花铁板以下的机炉舱	增加了滴液和(或)机械损伤危险	IP 34
压载泵舱 冷藏舱 厨房和洗衣室	增加了滴液和机械操作危险	IP 44
双层底中的轴隧或管随 一般货舱	有液体喷射危险,有货尘, 有严重的机械损伤,有腐蚀性烟雾	IP 55
露天甲板	有大量液体的危险	IP 56

2.船舶电气设备安装流程

(1)安装前的准备工作

①首先根据电气设备的布置图和明细表,确定所要安装的设备,从配套库领出,并进行认真检查核对;然后,根据安装工艺要求到船上进行设备的实际定位,标出设备的安装位置、名称和代号。

②根据设备配套清单上的要求领取或加工设备的支架或基座。一般小型设备,如照明灯具、开关、接线盒等通过设备支架,采用直接安装的方式安装;大型设备通常利用设备基座完成安装。

③设备运吊上船时,应临时拆除其上面的精度较高、易于损坏、易于遗失的电气器材,如仪器仪表、照明灯泡、玻璃或陶瓷制品等,并做好记录,以便设备安装完后再复装。

(2)设备的支架和基座烧焊

根据设备布置图和设备基座图(设备支架图)所示的坐标位置、尺寸,标出设备所在的位置,并标明设备的名称或型号,施工人员按照工艺要求在指定位置完成支架或基座的烧焊工作。对于一些在图纸上没有位置和尺寸的照明设备,如果需要设备支架安装,则需要在准备工作阶段参与定位和烧焊。

烧焊应保证所有安装设备的平直,大多数情况下以"目视"的方式,参照周围的船体结构判断平直,如果设备的平直要求高,则需要用水平尺测量设备的平直。大型设备的基座可采用样板烧焊。

对于与设备接地处锡箔垫相连接的设备底脚、减振器等的接触面要磨出金属光泽,以确保接地的可靠性。

（3）设备的安装和紧固

将设备搬运或撑托到设备指定位置,根据设备的安装孔准确选用螺栓并完成紧固工作。安装设备所用的螺栓、垫圈等紧固件,若为铁质或钢质材料,因其易于生锈,故应进行镀锌处理。

紧固螺栓长度的选择要求是在螺母紧固后,其螺纹应露出 2~3 个螺距,最长不超过该螺栓的直径。此外,紧固螺栓时为了防止因振动而松脱,一般使用弹簧垫圈。对于有防震动要求的设备,减震器需要安装在设备支架或基座上,再把设备安装到减震器上。

3. 船舶电气设备安装的基本方法

为了使安装到船舶上的电气设备便于维护、保养和更换,电气设备应具有可拆装性,而且一般不能直接装焊到船体结构上。船舶电气设备通常采用的安装方法有很多,分别说明如下。

（1）直接固定在设备支架或基座上

一般船上的主配电板、发电机、电动机、各种箱体等多用此方法。如图 6-2 所示为设备采用支架安装的方法,如图 6-3 所示为设备采用基座安装的方法。

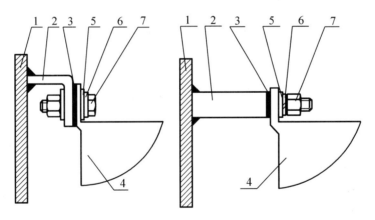

1—船体或金属结构;2—设备支架;3—锡箔;4—设备;5—平垫圈;6—弹簧垫圈;7—螺栓。

图 6-2　设备支架安装

（2）用木垫或橡皮垫固定在基座或甲板上

一些较贵重的设备为防潮和减振,可用木垫或橡皮垫进行固定,如雷达、电罗经、自动操舵仪等,如图 6-4 所示。

（3）用减振器固定在支架或基座上

船舶在工作时,靠近主机、发电机、起货机、锚机、绞缆机等设备处的振动是比较强烈的,对于抗震性能较差的设备,如电子仪器、白炽灯泡等,在安装时必须采用减振器。一般

船舶工程导论

情况下,轻型设备如照明灯具等,可采用弹簧式(T型)减振器,其安装方法如图6-5所示;小型设备如小型变流机等,可采用平板式(E型)减振器,其安装方法如图6-6所示;中大型设备如电台等,要采用保护式(BE型)减振器,其安装方法如图6-7所示。设备也可采用钢丝减振器固定在基座上。

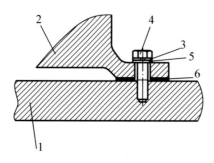

1—基座;2—设备底脚;3—弹簧垫圈;4—螺栓;5—平垫圈;6—锡箔。

图6-3　基座安装

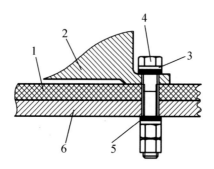

1—木垫或橡皮;2—设备底脚;3—平垫圈;4—螺栓;5—锡箔;6—基座。

图6-4　木垫或橡皮垫安装

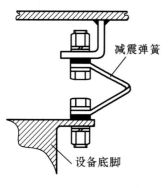

图6-5　弹簧式减振器

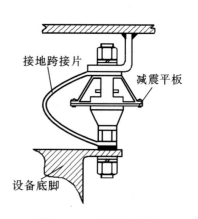

图6-6　平板式减振器

· 112 ·

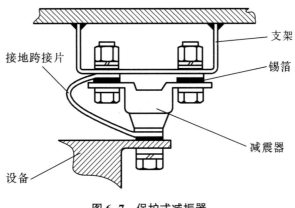

图6-7 保护式减振器

(4)固定在木质板壁(或硅酸钙板)上

船舶上的许多电气设备安装在舱室内,安装方法如图6-8所示。

图6-8(a)为用木螺丝将设备直接固定在木板上的方法;图6-8(b)为设备固定在外层有木质护板的舱壁上的方法,固定时要采用设备支架。

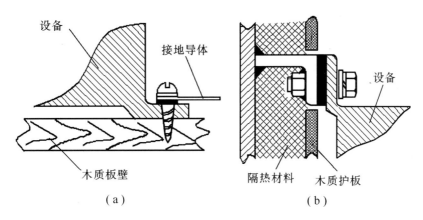

图6-8 固定在木质板壁上

(5)固定在铝质轻围板上

在进行设备安装时,可采用击心铝铆钉将支架固定在铝质轻围板上,在设备底脚和铝质轻围板间应加垫上锡箔。为了使接地可靠,应在设备底脚上另外引出接地导体。该方法可用于轻型设备的安装,如图6-9所示。

(6)设备的暗式安装

设备的暗式安装的方法具有船舱内的设备整齐美观、人员行走安全方便、电缆暗敷及施工方便的优点。自身带有暗装边框的设备,可先在暗边框上钻出安装孔,然后用螺钉将其固定在舱壁上,安装方法如图6-10(a)所示;有封板的舱壁上设备的安装,可采用如图6-10(b)的方法。

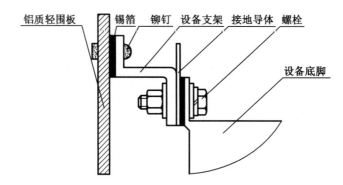

图 6-9　固定在铝质轻围板上

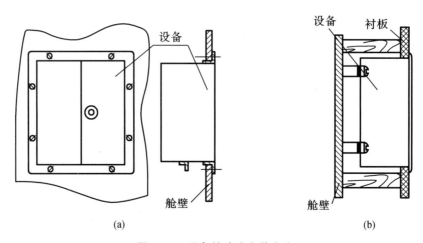

(a)　　　　　　　　　　　　　　　　(b)

图 6-10　设备的暗式安装方法

6.2.3　船舶电气设备接地

船舶电气设备接地就是在设备安装过程中把设备的金属外壳与船体的金属结构之间进行可靠的电气连接。其目的之一是保证船舶电气系统的正常工作;另一个目的在于保证船舶上的操作人员与设备的安全,减少设备的电气干扰,提高设备工作的稳定性。

1. 接地的分类

（1）保护接地

保护接地是指将电气设备不带电的金属部分与船体钢结构件之间做良好的电气连接,避免因电气设备外壳绝缘损坏而可能发生的人身触电事故和电气火灾,以保护人身和财产的安全。

（2）工作接地

工作接地是指在直流供电、单相交流供电或三相四线制供电网络中,以船体金属结构件作为其中一极(负极或中线)的电流通路,为此须将电网的某些点通过接地装置与船体金属结构件做可靠的电气连接。这样可以达到节省电缆、降低成本的目的;但船舶运行的安全性和可靠性却要随之有一定程度的降低。

（3）防雷和防静电接地

防雷和防静电接地是指将可能受到雷电或静电危害的设备或装置与船体的金属结构之间进行可靠的连接。船舶在广阔的海洋上航行时,位置较高的桅杆或上层建筑很容易遭受到雷击;另外,船舶在航行作业时,因物体间的摩擦而引起静电荷的积聚形成火花放电。这些都直接威胁着船上人员的人身安全及船舶的安全航行。

（4）抗干扰接地

抗干扰接地是指将船舶上的无线电通信设备、助航设备及其配电箱、电源线、信号线等的外壳或电缆屏蔽层与船体结构之间进行可靠的电气连接。这样可以减小或避免上述设备工作时可能受到的干扰,提高其工作的可靠性。

2. 船舶电气设备的接地方法

（1）专用接地导线的连接方法

应用:此法用于接地要求较高、接地难于处理或安装在绝缘座上设备的接地。在进行接地线的选择和处理时,要注意接地线的强度和保护。

方法:与船体结构的连接一般是通过接地柱或接地板来进行过渡,而与设备的连接是在加垫锡箔垫后通过紧固螺栓来完成的。如图 6-11 所示是专用接地线与设备的连接方法。如图 6-12 所示是专用接地线与船体结构的连接方法。

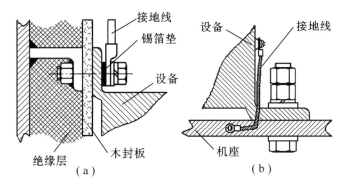

图 6-11 专用接地线与设备的连接

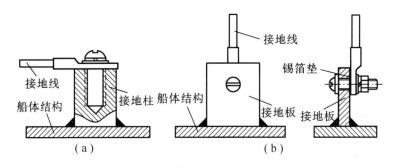

图 6-12 专用接地线与船体结构的连接

（2）木封板上用长条铜皮进行接地

应用：绝缘封板上安装设备时可采用此方法来接地。

方法：长条铜皮一端与设备底脚相连，并要加上锡箔垫，另一端与船体结构相连，如图6-13所示。

（3）利用设备底脚与底座间的接触面来接地

应用：适于支架焊到船体结构上的电气设备的安装。

方法：采用锡箔垫来完成接地，如图6-14所示。

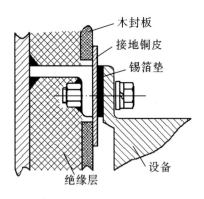

图6-13　木封板上的接地

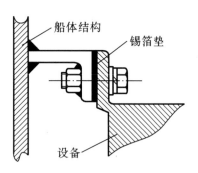

图6-14　接触面直接接地

（4）利用固定螺钉接地

应用：适于设备与船体舱壁之间有绝缘隔板，或设备与不能用电焊焊接的金属舱壁之间的接地。

方法：以紧固螺钉为接地线，若其中一端不能焊接到舱壁上时，螺钉的两端均应垫上锡箔垫，以确保可靠接地，如图6-15所示。

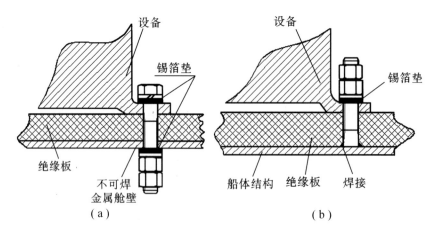

图6-15　利用固定螺钉接地

（5）减振器的接地

应用：适于有减振器的设备的接地。

方法：利用减振弹簧本身或接地跨接铜皮等来完成接地，在连接处要加上锡箔垫，如图

6-16所示。

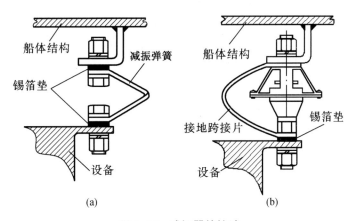

图6-16　减振器的接地

6.2.4　船舶电气设备调试

1. 通电调试前的准备

(1)认真仔细阅读试验大纲和提交要求,熟悉和掌握试验的步骤,制订验收方认可的切实可行的试验方法。

(2)熟悉该设备的相关图纸,理解该设备的工作原理,熟知各项技术数据和注意事项。

(3)注意设备的周围环境,清理障碍物和杂物,保持道路畅通和清洁,消除安全隐患。

(4)准备好必须的工具、仪器仪表。

2. 通电调试前的检查

(1)检查该设备系统的完整性,缺损件及时修复或补装。

(2)检查各电气元件的可靠性。

(3)检查主要开关、接触器、热继电器的容量;电压表、电流表等仪表的型号、规格、整定值;压力开关、温度开关等元器件的规格是否和图纸一致。

(4)检查设备的电缆型号、代号、数量是否与图纸一致,并认真核实接线和芯线标志的准确性,发现错误立即纠正,同时检查接线是否牢固,最好能再紧固一遍。

(5)检查该设备的电缆敷设、密封、切割接线及接地,是否符合相应的工艺标准,若有不符必须返工,直至符合工艺标准。

(6)仔细清洁各电气设备的控制箱,可用毛刷、吸尘器清洁尘屑。开关和接触器触头还需用无水酒精清洁。

(7)所有仪表的精度应满足提交所要求的精度范围,检查仪器仪表的合格证书及有效的校验证书。

(8)在做电站试验前,根据电站容量和试验要求选择合适容量和数量的负载桶,并认真检查每个遥控箱上各按钮的工作情况及负载桶上主接触器和上、下限位开关的工作情况,准确无误后方可投入使用。

(9)除电气外,涉及轮机工作的部分,必须配合轮机做完整的系统检查。

(10)设备通电之前,必须进行绝缘检查,符合要求方可通电,否则必须排除故障后,方可通电。

(11) 110 V 以上线路选用 500 V 兆欧表测量,24 V 线路选用 100 V 兆欧表测量。

(12) 照明线路绝缘应不低于 1 MΩ,电力线路绝缘应不低于 5 MΩ。

(13) 电子元件及有耐压要求的元器件,如电容等,不能用兆欧表测量。如被测回路中,有以上元器件,必须使它们完全脱离测量回路,以免被毁坏。

3. 仪器仪表的使用方法

仪器仪表的使用要符合仪器仪表的要求。

(1) 电压表:在测电路电压时,应使电压表并联在被测电路的两端,根据被测电压的大小,选择适当的量程,如不知被测电压的大小时,先选择高量程一档测量,再选择合适的量程测量。在用磁电式电表测量直流电压时,还要注意"+""-"极性,不要接反。

(2) 电流表:在测电路电流时,应使电流表串联在被测电路中,根据被测电流的大小,选择适当的量程,如不知被测电流的大小时,先选择高量程一档测量,再选择合适的量程测量。在用磁电式电表测量直流电流时,还要注意"+""-"极性,不要接反。

(3) 钳型电流表:在使用时,注意避免外界磁场影响所测电流的大小,测量时,钳口要压紧,导线要处于中间位置,尽量使导线垂直通过钳口。

(4) 兆欧表:使用前先将表自行短路,此时读数应为零,然后自行开路,其读数应为 ∞,符合这二点要求时,表方可使用。使用时,因为有高电压,所以不能用手同时触及二根引线,以免受到电击。线路中若有电子元件,低压电容时,在测量前需将这些元件切除,以免受到损坏。转动手柄应保持 120 r/min 左右平稳速度,不要忽快忽慢而影响测量精度。

4. 通电调试

(1) 接上必要的监测仪表。

(2) 配好合适的熔丝。

(3) 电源开关要进行若干次"合—断"操作,以检查其断开的可靠性。

(4) 严格按试验大纲要求进行逐项试验,记录好必要的数据。

(5) 运行过程中密切注意设备运行状况,如有异常情况,应立即停止,查找原因,待故障排除后,方可再次运行。

(6) 长时间运行的设备,现场不能断人,并要定时巡视,做好记录。

(7) 做试验时,如有会发生危及安全的可能时,一定要采取可靠的防范及消除措施,符合安全操作规范后,方可进行。

(8) 和其他工种共同配合的试验项目,相互间要协调一致,不要独断专行。

(9) 试验结束后,拆除试验用的一切外附器件,恢复设备的原始状态,关断一切电源。

船舶电气系统思维导图,如图 6-17 所示。

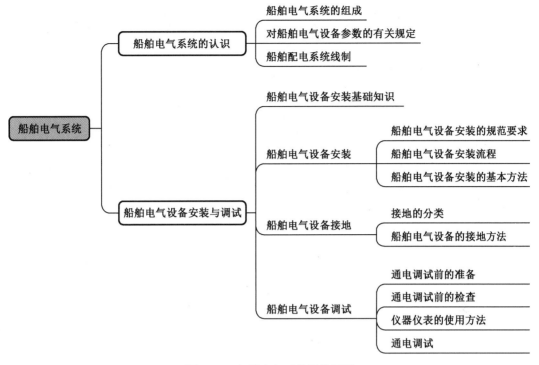

图 6-17　船舶电气系统思维导图

第7章 五彩缤纷——船舶涂装

中国是瓷器之国,也是丝绸之国、茶之国,更是漆之国。大漆,又名生漆、国漆、天然漆,泛称中国漆,因为性能优良,故能成其"大",是中国的天然特产。

早在 7 000 多年前的河姆渡文化中,中国就已经出现了漆器。人们把漆树的汁液提取出来,涂于木胎或其他材质的造型之上,反复涂刷晾干后,制成精美的漆器。漆液,如同漆树的血液一般,从漆树上被割取下来,再裹挟着历代工艺髹涂到器物上。因为大漆具有防腐、防潮、耐高温、防虫蛀等特性,被称为"涂料之王"。制作漆器的手艺从那时一直传到了今天,现被列为国家非物质文化遗产。

中国漆器是中国古代在化学工艺及工艺美术方面的重要发明。它一般髹朱饰黑,或髹黑饰朱,以优美的图案在器物表面构成一个绮丽的彩色世界。从新石器时代起,中国人就认识了漆的性能并用以制器。历经商周直至明清,中国的漆器工艺不断发展,达到了相当高的水平。中国的戗金、描金等工艺品,对日本等地都有深远影响。

课程目标

1.知识目标
(1)掌握手工或动力工具除锈等级。
(2)了解刷涂、辊涂、喷涂的常用工具。
(3)掌握常见涂装缺陷。
2.能力目标
(1)掌握船舶技术准备的内容。
(2)掌握船舶生产准备的内容。

课前思考问题

涂装的目的是什么?涂装的流程是什么?

7.1 船舶涂装基本知识

1994 年,美国由于金属腐蚀造成的经济损失为 3 000 亿美元,近似于其国民生产总值(GNP)的 4.5%。

据工业发达国家的统计,每年由于金属腐蚀造成的钢铁损失约占当年钢产量的 10% ~ 20%。

1990年,中国由于金属腐蚀造成的钢铁损失超过了当年钢产量的25%左右。钢材表面处理质量主要是指对表面所沾染污物(覆盖在钢材表面的氧化皮、旧涂层以及沾污的油脂、焊渣、灰尘等污物)的清除程度,或称"清洁度",以及除锈之后钢材表面所形成的粗糙度的大小。涂装前钢材表面处理质量的控制主要包括两方面内容,即钢材表面的清洁度和粗糙度。

7.1.1 钢材锈蚀等级

未涂装过的钢材表面原始锈蚀程度在国际标准 ISO 8501-1:1988 等效于国家标准 GB 8923 中规定了四个锈蚀等级(图7-1)。

如图7-1(a)所示为全面地覆盖着氧化皮而几乎没有铁锈的钢材表面。

如图7-1(b)所示为已发生锈蚀,并且部分氧化皮已经剥落的钢材表面。

如图7-1(c)所示氧化皮已因锈蚀而剥落,或者可以刮除,并且有少量点蚀的钢材表面。

如图7-1(d)所示氧化皮已因锈蚀而全面剥离,而且已普遍发生点蚀的钢材表面。

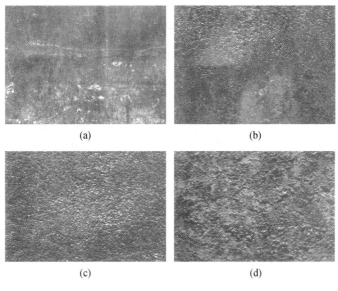

图 7-1 钢材锈蚀等级

7.1.2 钢材除锈

国家标准中将未涂装过的钢材表面及全面清除过原有涂层的钢材表面除锈后的质量分为若干个"除锈等级"。

标准对喷丸(砂)或抛丸除锈,手工和动力工具除锈过的钢材表面清洁度规定了除锈等级,并且分别以字母"Sa""St"表示。字母后面的阿拉伯数字则表示清除氧化皮、铁锈和油漆涂层等附着物的程度等级。

喷射或抛射除锈有四个除锈等级。

Sa1 轻度喷射或抛射除锈：钢材表面应无可见的油脂和污垢，并且没有附着不牢的氧化皮、铁锈和油漆涂层等附着物。

Sa2 彻底的喷射或抛射除锈：钢材表面应无可见的油脂和污垢，并且氧化皮、除锈和油漆涂层等附着物已基本清除，其残留物应是牢固附着的。

Sa2.5 非常彻底的喷射或抛射除锈：钢材表面应无可见的油脂、污垢、氧化皮、铁锈和油漆涂层等附着物，任何残留的痕迹应仅是点状或条纹状的轻微色斑。

Sa3 使钢材表观洁净的喷射或抛射除锈：钢材表面应无可见的油脂、污垢、氧化皮、铁锈和油漆涂层等附着物，该表面应显示均匀的金属色泽。

手工和动力工具除锈(图7-2)有两个除锈等级。

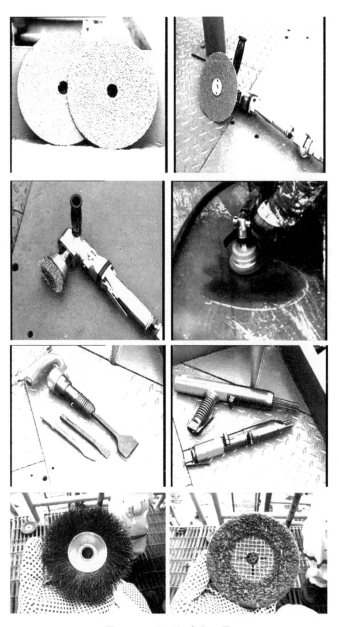

图7-2　手工和动力工具

St2 彻底的手工和动力工具除锈:钢材表面应无可见的油脂和污垢,并且没有附着不牢的氧化皮、铁锈和油漆涂层等附着物。

St3 非常彻底的手工和动力工具除锈:钢材表面应无可见的油脂和污垢,并且没有附着不牢的氧化皮、铁锈和油漆涂层等附着物。除锈应比 St2 更彻底,底材显露部分的表面应具有金属光泽。

评定钢材表面除锈等级或锈蚀等级时应注意以下六点:

①目视外观评定,光照条件良好,不应借助于放大镜等器具。

②待检查的钢材表面与相应的照片尽量靠近。

③在评定喷射或抛射后钢材表面除锈等级时,使用不同的磨料往往会在表面产生不同的色调。

④涂料中含有氧化铁红或红丹颜料的底漆时,应特别注意残留颜料颗粒产生的影响。

⑤钢材轧制过程中温度影响清洁度的评定。

⑥照明不匀,表面不平、腐蚀程度不同造成的粗糙度的差异,或喷砂除锈时磨料冲击表面的角度不同等原因而引起光线在除锈表面的反射不同,也会造成色调的差异。

涂装前钢材表面粗糙度等级的评定常用办法是比较样块法,如图 7-3 所示为比较样块。

图 7-3 比较样块

7.1.3 涂装工具

1.刷涂工具

手工刷涂工具主要是漆刷,漆刷形状分为扁刷、弯头刷等(图 7-4)。

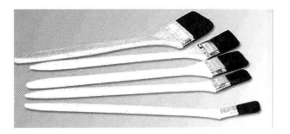

图 7-4 手工刷涂工具

2.常用辊涂工具

漆辊工具包括手柄、支架、筒芯、筒套,即由外表包以人造毛的塑料滚筒与镀锌或镀铬的金属滚筒支架组成,适用于船舶涂装中的大面积手工涂装,也是进行拉毛乳胶漆施工的必备工具。(图 7-5)

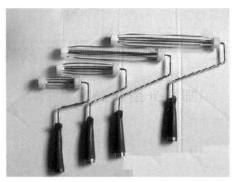

图 7-5　辊涂工具

压缩空气喷涂工作原理(图 7-6):利用压缩空气将涂料从壶形容器中吸引(或压迫)至喷枪,涂料从喷嘴喷出与空气混合并雾化,喷射在被涂表面,得到均匀分布的涂层。

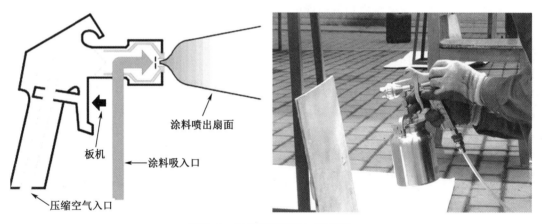

图 7-6　压缩空气喷涂工作原理

高压无气喷涂工作原理(图 7-7):利用压缩空气作为动力驱动高压泵,将涂料吸收并加压至 10~25 MPa,通过高压软管和喷枪,最后经呈橄榄形孔的喷嘴喷出。当涂料离开喷嘴时,雾化成很细的微粒,喷射到被涂表面,形成均匀的涂膜。

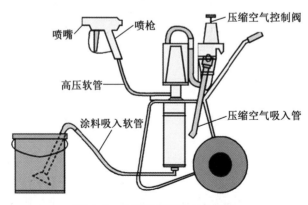

图 7-7　高压无气喷涂工作原理

施工人员要严格按照公司安全规章制度要求,佩戴劳保用具,注意安全标识,避免职业病的发生。

7.2 船舶涂装典型缺陷及预防措施

1.擦伤(机械损伤 abrasion)(图7-8)
擦伤指摩擦、刮擦、划伤、凿伤或磨伤等机械损伤。

图7-8 擦伤(机械损伤)

原因:去除涂层表面的一部分,或在严重的情况下,由于与另一个物体接触而暴露基质,例如,用于起重、货物、挡泥板或船舶的接地的金属链。

预防措施:使用基于特殊树脂和颜料的耐机械损伤的涂料。但在某些情况下,使用耐机械损伤的涂料的效果仍然有限。

2.剥落(附着失效 adhesion failure)(图7-9)
剥落指附着失效涂层与基材间或涂层间丧失附着力。

图7-9 剥落(附着失效)

原因:表面污染或冷凝;涂层系统之间的不相容;或超过最长覆涂间隔时间。
预防措施:确保表面清洁、干燥、不受任何污染,并确保表面经过适当的处理;使用正确的涂料体系,并遵循建议的覆涂间隔时间。

3. 龟裂(鳄纹 alligatoring/crocodiling)(图7-10)

龟裂指非常大的像鳄鱼皮那样的裂纹,裂纹可能穿透到下涂层或者直至底材。

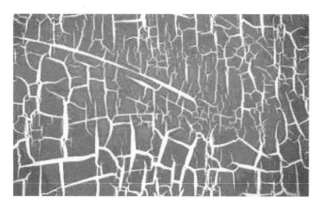

图7-10 龟裂(鳄纹)

原因:当涂层的表面比内部收缩更快时产生应力开裂。超高的膜厚和有限的涂料柔韧性。将硬的涂料涂在更软的涂层上。在下道涂层未干燥前涂上道漆。

预防措施:使用正确的涂层体系和合适的材料,避免涂层过厚,避免高温环境下施工。

4. 渗色 bleeding(图7-11)

渗色是可溶解的着色物质从底层涂料中扩散至涂层表面导致产生不良的变色或染色,在(含)沥青或焦油的涂层表面覆涂时常见(因为沥青或焦油是可溶解的),也会发生在乳胶漆中。

图7-11 渗色

原因:当强溶剂用于上涂层时,下涂层或其所含成分全部或部分被再溶解而造成。

预防措施:使用正确的涂层体系和涂料;使用配套性好的涂料;如有可能,使用合适的封闭漆。

5. 起泡 blistering(图7-12)

起泡是因为局部丧失附着力和从下涂层顶起而形成的圆顶状突起。泡内可能含有液体、蒸汽、气体或晶体。

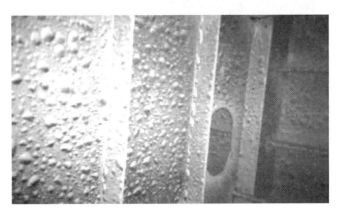

图 7-12 起泡

原因：多种原因和机理会导致起泡，包括与可溶性盐、可溶性颜料、腐蚀产物、残留溶剂和货物溶剂有关的渗透梯度，非渗透水泡与阴极剥离，冷壁效应的热梯度以及压应力有关。

预防措施：确保正确的表面处理和施工；对可溶性盐进行测试后，采用合适的涂层体系；考虑在特定环境中不同的起泡原因和机理的可能性。

6. 白华（胺霜 bloom/blush））（图 7-13）

白华是涂膜表面类似葡萄上的花斑样的模糊的沉积，导致光泽丧失和颜色发暗。

图 7-13 白华（胺霜）

原因：涂膜固化期间暴露在冷凝或潮气下，特别是在低温时（胺固化环氧常出现此现象）；不正确的溶剂也可导致该现象。

预防措施：在正确的环境条件下施工和固化涂层体系，并遵循制造商的建议。

7. 渡桥 bringing（图 7-14）

渡桥指用涂膜覆盖没有填充的间隙（如缝隙或角落），由此形成的涂膜缺陷可能开裂或脱落。

原因：不正确的施工；高黏度涂料体系；失败的角落和焊缝上的刷涂施工。

预防措施：在施工整个涂层体系前，填补所有的裂纹和焊缝；对角落和焊接处采用刷涂施工预涂层。

图 7-14 渡桥

8. 气泡 bubblesor bubbling(图 7-15)

涂膜内的气泡看起来就像小水泡一样,这些可能是完整的或破碎的(留下一个陨石坑),可以在过厚的涂膜上发现,特别是喷涂或辊涂施工时易发生,这一点不应与"起泡"相混淆。

图 7-15 气泡

原因:不正确的施工;高黏度涂料体系;失败的角落和焊缝上的刷涂施工。

预防措施:在施工整个涂层体系前,填补所有的裂纹和焊缝;对角落和焊接处采用刷涂施工预涂层。

9. 阴极剥离 cathodic disbonding(图 7-16)

阴极剥离是在配有阴极保护的埋地管道、浸渍环境下钢结构以及船体上,裸钢部位涂层体系出现起泡和脱离现象。

原因:强制电流保护电压过高;牺牲阳极过多;不正确的安装;不良的监测和不合适的涂层体系。

预防措施:采用经过良好设计的阴极保护系统;定期监测布局良好的参比电极;应用耐碱性能好的涂层体系。

10. 粉化 chalking(图 7-17)

粉化指在漆膜表面上的一个易碎的粉状层,也可以看到颜色的变化或褪色,粉化速率与颜料浓度和粘结剂的选择相关。粉化是一种某些涂料(如环氧漆)已知的特性。

图 7-16 阴极剥离

图 7-17 粉化

原因:通常是配方或技术问题;随着裂纹的产生和应力的发展导致涂层表面变得脆弱和开裂;有限的涂料柔韧性。

预防措施:采用正确组成的涂料体系。

11. 细裂 checking(图 7-18)

细裂指涂层体系中面漆上的细小裂纹,有的裂纹非常细小以至于不经放大而看不到。

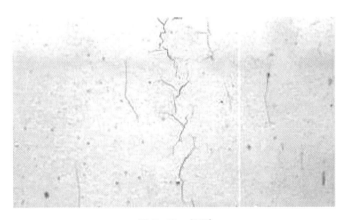

图 7-18 细裂

原因:通常是配方或技术问题,随着裂纹的产生和应力的发展导致涂层表面变得脆弱和开裂;有限的涂料柔韧性。

预防措施:采用正确组成的涂料体系。

12. 缩孔 cissing(图7-19)

缩孔指涂料施工后,湿膜在流平过程中出现回缩,并暴露出下面的基材,油漆无法润湿基材,可以很大。

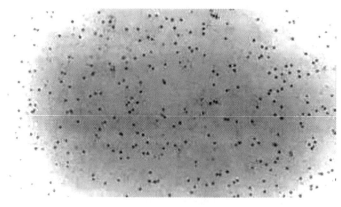

图7-19 缩孔

原因:表面被冷凝或被外来锈质(如油、脂或有机硅类)污染;当使用不正确的溶剂混合时也会发生。

预防措施:涂装施工前确保表面清洁,不受油脂及外来物质污染。

13. 蛛丝(喷涂拉丝 cobwedding)(图7-20)

对某些高分子量聚合物溶液进行喷涂层,喷出的可能是细纤维而不是细小的雾化颗粒。如采用传统空气喷涂施工氯化橡胶涂料时出现。

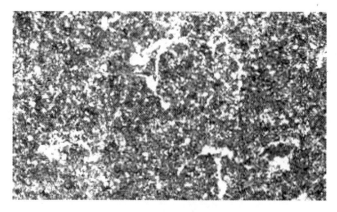

图7-20 蛛丝(喷涂拉丝)

原因:聚合物溶液黏度太高;常发生在氯化橡胶漆上。

预防措施:降低喷涂黏度,选用更合适的溶剂,改变喷涂条件。

14. 开裂 cracking(图 7-21)

开裂指干漆膜通过至少一层涂层的分离,形成可见的裂缝,可以穿透到基片。开裂有多种形式,从细裂到严重开裂。

图 7-21　开裂

原因:开裂通常是与应力相关的缺陷,可归因于表面运动、老化、吸收和解吸水分,涂层缺乏弹性。越厚的漆膜,开裂的可能性越大。

预防措施:使用正确的涂层体系、施工技术和干膜厚度;采用柔韧性好的涂层体系。

15. 针孔、孔坑 cratering(图 7-22)

针孔、孔坑是指在漆膜上形成的碗状凹陷。不要与缩孔相混淆。

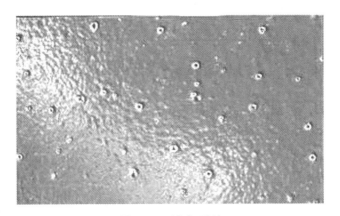

图 7-22　针孔、孔坑

原因:涂料干燥过程中,内含空气或溶剂的气泡爆裂,留下小的陨石坑;涂层没有足够的时间流平形成均匀的薄膜。

预防措施:改善喷涂技术,涂装雾喷层,在搅拌过程中避免空气进入;根据涂料制造商的建议添加稀释剂。

16. 龟裂 crazing(图 7-23)

龟裂与细裂(checking)相似,但裂缝通常更宽,穿透涂膜更深。

原因:施工温度太低,与前涂层不配套;老化或高膜厚。

图 7-23　龟裂

预防措施:施工薄涂层,加慢干溶剂,检查涂料体系施工和干燥条件是否正确;采用正确的涂料体系,检查配套性。

17. 爪形皱纹 crowsfooting(图 7-24)

爪形皱纹指在漆膜上形成一种类似于乌鸦的脚印的小皱纹。

图 7-24　爪形皱纹

原因:通常是因为表面干燥太快而形成了一层皮肤,而溶剂慢慢从下层挥发而形成皱纹。

预防措施:施工薄涂层,加慢干溶剂,检查涂料体系施工和干燥条件是否正确。

18. 分层(层间脱离 delamination)(图 7-25)

原因:若涂层材料的配套性没问题,层间脱离这种缺陷一般与表面处理不良和施工不当有关;如涂层间的污染物,超过覆涂间隔时间,施工于有光泽的表面。

预防措施:确保涂层间没有污染物,遵循建议的覆涂间隔时间;对有光泽表面进行打磨和清洁。

19. 褪色 fading(图 7-26)

褪色指当船舶暴露于阳光/大气下时,涂料颜色的变化或逐渐减少,可能伴随着光泽度的丧失。在某些情况下,它可能类似于粉化,但没有粉状表面。褪色倾向于在有水分的情况下加速。

图7-25 分层(层间脱离)

图7-26 褪色

原因:使用了不正确的颜料或不稳定的有机颜料;受大气污染;是多孔基材。

预防措施:采用耐紫外线和抗褪色的涂料体系;使用光稳定性好的涂料颜料。

20. 片落、剥落 flaking(图7-27)

片落、剥落是指一种附着失效的形式,涂膜从基材上片状脱落,常见于木质和镀锌底材上。

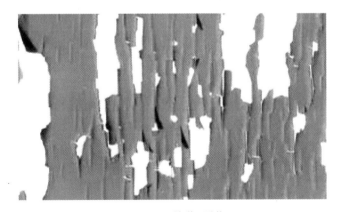

图7-27 片落、剥落

原因:用了不正确的涂料体系;对特定底材(如有色金属或镀锌件)不进行预处理或者是不正确的预处理;太差的施工技术;涂料和底材的膨胀和收缩率差异(如木材);涂料体系自然老化的结果。

预防措施:使用正确的涂料体系和表面预处理方法。

21. 露底 grinning(图 7-28)

露底是由于涂料的遮盖力不足,其下涂层的表面仍然可见,还被称为"grinning-through 遮盖不足"。当深色漆涂在浅色漆上时经常可见。

图 7-28 露底

原因:面漆太薄;面漆的不透明度和遮盖力不足;下涂层颜色太强。

预防措施:每道施工采用合适的干膜厚度;采用不透明性佳的涂料。

22. 热损伤 heat damage(图 7-29)

热损伤指漆膜的变色、剥离或起泡,以及一般的漆膜退化。

图 7-29 热损伤

原因:因为背面燃烧、焊接而致的高温效应。

预防措施:确保所有的焊接和燃烧都在涂漆之前完成。

23. 冲击损伤 impact damage(图 7-30)

冲击损伤是从撞击点引发的裂缝。

图7-30 冲击损伤

原因:对相对脆弱的涂层造成的冲击损伤经常出现在玻璃纤维增强塑料上;也发生在钢因撞击而变形的时候。

预防措施:避免冲击造成损伤。

24.层间污染 intercoat contamination(图7-31)

图7-31 层间污染

原因:污染可能是由于不充分的冲洗;车间底漆的老化或附近操作中的沉积。

预防措施:涂装前要仔细检查和测试表面,如有需要,用清水冲洗。

25.泥裂 mud cracking(图7-32)

图7-32 泥裂

泥裂是干漆膜表面看起来呈干燥的泥巴样。裂缝呈现网格状,有可变化的大小和数量。

原因:一般情况下,诸如无机富锌底漆或水性漆这类颜料量大的底漆易出现;超厚的涂层体系易发生。

预防措施:仅施工推荐的涂层厚度(不要超厚);采用适合该涂料的推荐的施工技术。

26. 橘皮 orange peeling(图7-33)

图7-33 橘皮

此现象指一种均匀的、有麻点的外观,特别是喷涂的涂层、漆膜的表面就像一个橘子皮。

原因:漆膜不流平;由不良的施工技术,不正确的溶剂混合,或过高的触变性引起。

预防措施:采用正确的施工技术和合适配方的涂料产品。

27. 剥落 peeling(图7-34)

剥落类似于片落(脱落faking),剥落更易发生在软的、新鲜的涂层,由于附着力已丧失,所以像一张皮一样从底材或下涂层上撕脱下来。

图7-34 剥落

原因:剥落是因为涂层的污染或涂料不配套而使漆膜的黏结强度降低。

预防措施:采用正确的涂料体系施工于清洁而未受污染的表面上。

28.针孔、小孔 pinholes(图7-35)

针孔、小孔是指湿漆膜在施工和干燥过程中,因为含空气或气体的气泡破裂后在涂膜凝固之前没有流平而形成的微小孔隙。

图7-35　针孔、小孔

原因:涂膜中的溶剂或气体滞留;涂于如富锌底漆、硅酸锌、热喷涂金属涂层等多孔底材上的常见问题;也可能是由于不正确的施工方法或不正确造成的溶剂混合造成。

预防措施:采用正确的施工技术去施工正确的产品;正确的溶剂混合物和环境条件;检查喷嘴至表面距离;应用雾喷工艺。

29.波状涂层 rippled coating(图7-36)

图7-36　波状涂层

原因:大风吹过潮湿的油漆表面会引起波纹,当这种情况发生在下部时,波纹就会像小型钟乳石那样垂下来;也可能是由于施工技术不佳造成的。

预防措施:在不利条件下不涂漆。使用正确的施工设备和工艺。

30.流挂 runs(图7-37)

流挂是指一层油漆的一种狭窄的向下运动,经常从大量油漆的堆积中明显地出现,如裂缝和洞,在周围的表面已经凝固后,油漆继续流动。

原因:过度使用油漆;过度使用稀释剂;不正确(或缺乏)的固化剂施工工艺差。

图 7-37　流挂

预防措施:采用正确的施工技术和推荐的干膜厚度。

31. 片锈 rust rashing(图 7-38)

片锈出现在涂膜表面的细小锈点,通常是在薄的底漆上,锈点很快在表面蔓延开来,造成锈点成片而难以辨别单个锈点。

图 7-38　片锈

原因:低膜厚,通常粗糙度又太高;由漏涂点造成。

预防措施:确保底漆的施工能够遮盖表面粗糙度的合适膜厚,检查表面粗糙度是否太高。

32. 点锈 rust spotting(图 7-39)

点锈是出现在涂膜表面的一个个锈点,通常开始单个出现,但很快密集度增加。

原因:低膜厚(与片锈产生的原因相似);孔洞和漏涂点(与片锈产生的原因相似);可能因钢结构表面缺陷(如叠片和夹杂物)而造成;太高的表面粗糙度导致峰顶未被涂膜覆盖并引起锈蚀;也可能是因为涂膜中的金属污染,比如磨料等。

预防措施:确保底漆施工能够遮盖表面粗糙度的合适膜厚;采用厚的涂层和低的表面粗糙度,防止涂层受到粉尘等污染。

图 7-39　点锈

33. 锈斑、锈痕 rust staining(图 7-40)

锈斑、锈痕是从裸露钢材锈蚀产生的金属氧化物引起的涂层表面着色。涂层本身没有缺陷,只是被染色了。

图 7-40　锈斑、锈痕

原因:锈蚀的表面产生的锈水污染到了涂层表面;锈痕发生时,锈污染了水并流到了其他部位。

预防措施:确保良好的设计和足够的涂层维护保养。

34. 凹陷 sags(图 7-41)

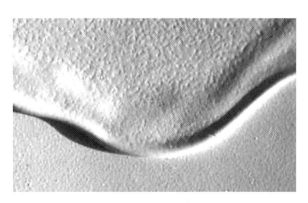

图 7-41　凹陷

凹陷是由一层涂料的向下运动引起的,它在运动后不久,出现下边缘较厚的不均匀的区域。凹陷通常在垂直表面的局部区域很明显,在严重的情况下,可以被称为"帘挂"。

原因:涂料过度施工;稀释剂过度使用;不正确(或缺少)固化剂;差的施工工艺;在极端情况下,可能是涂料配方问题。

预防措施:采用正确的施工技术,施工合适配方的产品。

35. 沉底(沉降 settlement)(图 7-42)

它是由基料和颜料组成的固体成分在包装容器内沉淀的现象。混合后或施工中发生的沉降会导致不同部位的涂膜性能不同和颜色不同。

图 7-42　沉底(沉降)

原因:旧的库存货;含重颜料的涂料;不正确的涂料配方;锌粉底漆可能存在此问题。

预防措施:使用在贮存有效期内的产品;采用正确的混合过程;在喷涂时将油漆混合和搅拌均匀。

36. 结皮 skinning(图 7-43)

结皮指在容器内的油漆表面形成一层皮。

图 7-43　结皮

原因:缺乏防剥皮剂;使用不密闭容器;热的贮存条件;经常出现在部分使用过的罐子里。

预防措施:使用防结皮剂,按照规定的环境条件贮存。

37. 溶剂咬起(咬底漆膜 solvent lifting)(图7-44)

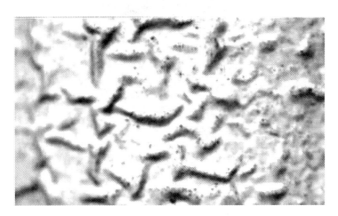

图 7-44　溶剂咬起(咬底漆膜)

溶剂咬起是指表面隆起、起皱和起泡,导致表面和最终涂层破裂。

原因:采用了不合适的涂料体系;上层涂料含能够和前道弱溶剂涂料反应的强溶剂;在前涂层未充分固化前覆涂。

预防措施:采用正确的涂料配套、覆涂时间和材料;进行相容性试验。

38. 溶剂泡 solvent popping(图7-45)

溶剂泡指表面在施工后很快出现的溶剂泡。

图 7-45　溶剂泡

原因:不正确的溶剂混合多孔表面易出现;不正确的环境条件或表面温度高。

预防措施:采用正确的涂料配套和材料;确保正确的施工技术和环境条件。

39. 变色 staining(图7-46)

变色指染色涂层体系的变色原因:涂层接触到的固体或液体导致变色或染色。

预防措施:避免接触导致变色、染色的固体或液体;使用深色涂层使变色看不出来。

40. 应力开裂 stress cracking(图7-47)

应力开裂指涂层出现的可见裂缝,可深达至底材。

图 7-46　变色

图 7-47　应力开裂

原因:应力开裂可以归因于表面运动、老化、吸水、脱水、热循环以及涂层柔韧性的缺乏;漆膜越厚,开裂可能发生的可能性越大;经常出现在焊缝周围和转角处。

预防措施:采用正确的涂料体系、施工技术和干膜厚度;使用柔韧性更好的涂料体系。

41. 膜下腐蚀 undercutting(图 7-48)

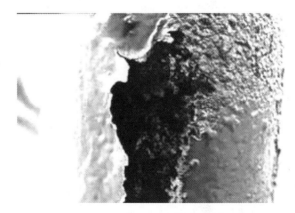

图 7-48　膜下腐蚀

漆膜下的可见腐蚀,常被称为 creep,这种腐蚀在漆膜下传播,并将涂层从基材上顶起,称为膜下腐蚀。严重时导致起泡、剥落、裂缝和可见的锈蚀。

原因:施工在已腐蚀的底材上,机械损伤或底漆缺失导致锈蚀蔓延,可在那些难以充分表面处理和施工涂料差的设计和困难部位发现,也可能是因为缺乏维修。

预防措施:采用正确的施工技术和维修程序;采用好的底漆。

42. 起皱 wrinkling(图 7-49)

起皱是指涂膜干燥过程中表面产生皱纹。

图 7-49　起皱

原因:常见于溶剂型油漆,前道涂层未充分固化前覆涂而产生;涂膜非常厚,特别是醇酸涂料。

预防措施:采用正确的涂层配套和涂料;按涂料制造商的建议确保充分的混合、应用和固化。

第8章 完成任务——船舶下水、试验及交船

深海"蛟龙"守护者

蛟龙号载人潜水器是目前世界上潜深最深的载人潜水器,其研制难度不亚于航天工程。在这个高尖端的重大技术攻关中,有个普通钳工技师的身影,他就是顾秋亮——中国船舶重工集团公司第702所水下工程研究开发部职工,蛟龙号载人潜水器首席装配钳工技师。

十多年来,顾秋亮带领全组成员,保质保量完成了总装集成、数十次水池试验和海试过程中的蛟龙号部件拆装与维护,还和科技人员一道攻关,解决了海上试验中遇到的技术难题,用实际行动演绎着对祖国载人深潜事业的忠诚与热爱。

作为首席装配钳工技师,工作中遇到技术难题是常有的事。而每次顾秋亮都能见招拆招,靠的就是工作四十余年来养成的"螺丝钉"精神。他爱琢磨、善钻研,喜欢啃工作中的"硬骨头"。凡是交给他的活儿,他总是绞尽脑汁想着如何改进安装方法和工具,提高安装精度,确保高质量地完成安装任务。正是凭着这股爱钻研的劲,他在工作中练就了极强的创新和解决技术难题的能力,出色完成了各项高技术、高难度、高水平的工程安装调试任务。

已近花甲的他仍坚守在科研、生产第一线,默默奉献,为载人深潜事业不断书写我国深蓝乃至世界深蓝的奇迹。如今他又肩负起了新的挑战——组装4 500 m载人潜水器。

思考:同学们从案例中学到什么? 以后我们应该怎样为祖国船舶事业贡献力量?

课程目标

1. 知识目标

(1)掌握船舶下水的主要方法。

(2)理解船舶下水的主要设施。

(3)了解船舶试验、交船的内容。

2. 能力目标

(1)正确划分船舶下水方式。

(2)能根据不同下水方法选用正确的设施。

(3)掌握船舶试验中系泊试验的内容。

(4)掌握船舶交船相关注意事项。

船舶在船厂建造完成之后,各项性能都需要在海水测试,那么船舶是如何下水的呢?

8.1　船舶下水的主要方法和设施

8.1.1　重力式下水

船舶在船台上建造到一定阶段后,将船舶从建造区域移向水域的工艺过程称为船舶下水。为了船舶下水,船厂根据自身的条件和生产要求,可选择各种不同的下水方法和设施,常见的有重力式下水、漂浮式下水和机械化下水三种。

重力式下水是船舶在本身重力的作用下,沿船台倾斜滑道进入水中的下水方法。重力下水的方式有纵向及横向两种。纵向重力式下水时,船体的中纵剖面平行于滑道运动,船尾先入水;横向重力式下水时,船体的中横剖面平行于滑道运动,船舶一侧先入水。

1.纵向重力式下水

纵向重力式下水适用于不同下水重量和船型的船舶下水,并具有设备简单、建造费用少和维护管理方便等优点。但是,它的下水工艺比较复杂,尾浮时会产生很大的首端压力,并且有船舶在水中的滑程较长,要求水域宽度不小于三倍船长等的缺点。

(1)纵向涂油滑道下水

纵向涂油滑道是船台和滑道合一的下水设施。纵向下水的设备由固定部分和运动部分组成。固定部分包括在船台上由方木铺成的滑道,称为底滑道;运动部分在下水过程中与船舶一起滑入水中,称为下水架;下水架的底板称为滑板,在滑板与滑道之间敷有润滑油脂,使滑板易于滑动,由于油脂承压能力较差,因此要求在下水前夕才能拆除建造墩木;下水架的两端建造比较坚固,以支持船体首尾两端的尖削部分,分别称为前支架及后支架。除上述主要设备外,还有若干辅助设备,诸如:防止船在开始下水之前滑板可能滑动的牵牢设备;防止船在下水过程中滑板发生偏斜的导向挡板;使船在下水后能迅速停止于预定位置的制动装置;使船在开始下水时能迅速滑动的驱动装置等。如图8-1所示为纵向重力式下水示意图,船舶纵向下水时,艉部先入水,因为这样可以获得比较大的浮力。

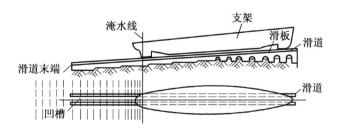

图8-1　纵向重力式下水示意图

(2)纵向钢珠滑道下水

纵向钢珠滑道下水是用钢珠代替润滑油脂,变滑动摩擦为滚动摩擦的一种纵向重力下水方式。这种方式减少了滑板与滑道之间的摩擦力,钢珠还可以重复使用。

钢珠下水装置主要由钢珠、保距器和轨板等构成,如图 8-2 所示。钢珠由高铬钢构成,直径为 90 mm,平均许用载荷为 $3×10^4$N,具有防锈能力。保距器用来控制钢珠在一定范围内滚动。为了减少保距器与滑道轨板之间的摩擦力,保距器上安装有滚轮。普通形保距器每块可放 12 个钢珠,大型船舶钢珠数量要多些,并在滑道轨板上焊有导向方钢,以免钢珠出列。为了收集下水时的钢珠,在滑道末端设置有钢架网袋,承接落下的钢珠。

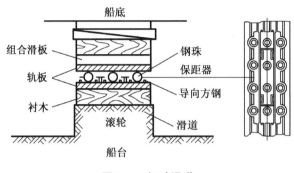

图 8-2　钢珠滑道

2. 横向重力式下水

与纵向重力式下水的区别,是船舶开始进入水中的不是尾部而是一舷,如图 8-3 所示。根据滑道的长短,横向下水一般可以分为两种。一种是长滑道,滑道伸入水中,先将船舶拖曳到楔形滑板上,然后沿滑道滑移到水中,这种方式称为横向浮起式下水;另一种是短滑道,滑道不伸入水中,船舶下水时,连同下水架一起坠入水中,然后依靠船舶本身的浮力和稳性趋于平衡,这种方式称为横向坠落式下水。横向重力式下水适用于小型船舶下水。

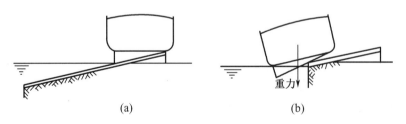

图 8-3　横向重力式下水示意图

由于横向下水使用的滑道数量较多,容易引起滑板下滑速度不一致,从而造成船身偏移、滑板脱出滑道等事故,降低了下水的安全性。另外,采用横向坠落式下水时,船体须承受很大的冲击力,并且横摇剧烈,因而对船体强度和稳性要求过高。

8.1.2　漂浮式下水

将水注入建造船舶的场所,依靠浮力使船舶自然浮起的下水方法,叫作漂浮式下水。该法的原始形式,我国早有应用——利用江河的枯水季节在滩头将船造好,当洪水季节到来时船即可自行浮起。这样不需要任何下水设施。现代的漂浮式下水的主要设施是船坞,最常见的是干船坞和浮船坞下水。

由于船舶的大型化和工期的缩短,规模较大的船厂大多采用船坞建造方式,下水自然也采用船坞下水。船坞下水与船台下水相比,作业比较容易,在安全方面也有很多优势。

1. 干船坞下水

干船坞是一种利用漂浮原理进行船舶下水和上墩的水工建筑物。它由坞底、坞门和水泵站等组成,如图8-4所示。利用坞门把坞室和水域隔开,坞门本身具有压载水舱和进排水系统安装到位后,将水压入坞门水舱内,坞门会下沉就位,在坞外的海水压力下紧紧压在坞门口,再将坞内的水抽干后,即可在坞内造船或修船。船舶建造完成后,通过进排水系统将坞外水域的水引入坞内,船舶依靠浮力浮起,待坞内水面和坞外一致时,就可以排出坞门内的压载水,移开坞门,然后将船舶拖曳出坞,坞门复位进入下一轮造船。

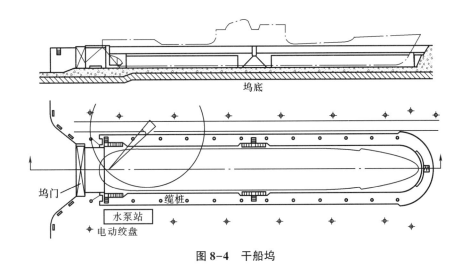

图8-4　干船坞

利用干船坞下水,船舶始终平稳地处于自然浮起状态。所以它是一种简易又安全的下水方法。但是,干船坞的建筑工程量大,投资费用高昂,故主要被沿海船厂用来修理船舶。

2. 造船浅坞

专门用于造船的干船坞一般将坞深造得较浅,称为造船浅坞(简称造船坞)。我们知道,新造船舶的空船质量比修船时的船舶质量小,如果只需要满足新造船舶浮起的要求,就可以把坞深造得浅一些,以便节省大量的基本建设投资。造船浅坞就是根据这个原则建成的干船坞。

随着船舶大型化,新船的主尺度和质量不断增大,如果仍然采用纵向涂油滑道的倾斜船台或半坞式船台造船,势必要增加船台前端标高和船台起重设备的起吊高度,从而大大增加船台和起重设备的投资,增加分段吊装工艺的复杂性。如果采用造船坞建造大型船舶,不仅可以克服倾斜船台和半坞式船台前端过高、纵向涂油滑道下水工艺复杂、水域宽度不易满足等缺点,而且还具有以下优点。

(1)船舶建造时处于水平状态,使施工操作方便。

(2)起吊高度降低,便于采用大起重能力、大跨距的起重设备。

(3)设置中间分隔坞门以后,可以采用串联建造法造船。

(4)可以利用坞墙设置各种造船机械化装置,提高船体建造的机械化程度。

(5)漂浮式下水操作简单、安全。

鉴于以上所述,造船坞下水是一种简易、安全的下水方法,另外由于可以在船坞内建造船舶,因而便于采用先进的造船方法,提高造船机械化程度。所以造船坞是目前解决大型船舶建造和下水的较好设施,它适合于水位落差不大的地区(如沿海)。

3.浮船坞下水

浮船坞原来主要用于船舶修理,作为船队或工厂的浮动修船基地,如图8-5所示。浮船坞可与水平船台联合使用,亦可作为船舶下水设施。利用浮船坞做下水作业,首先使浮船坞就位,坞底板上的轨道和岸上水平船台的轨道对准,将用船台小车承载的船舶移入浮坞,然后将浮坞脱离与岸壁的连接。如果坞下水深足够,浮坞就地下沉,船舶即可自浮出坞;如果坞下水深不足,就要将浮坞拖到专门建造的沉坞坑处下沉。

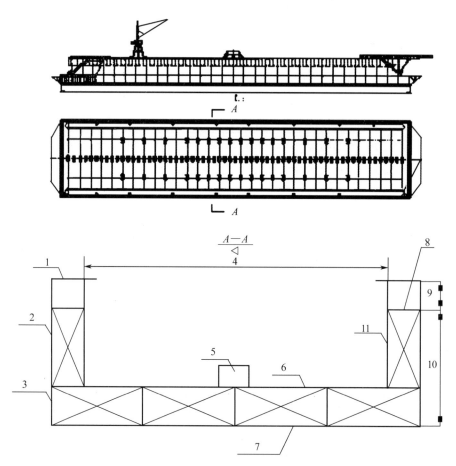

1—顶甲板;2—外坞墙;3—浮箱舷侧板;4—净内宽;5—龙骨墩;6—浮箱甲板;
7—浮箱底板;8—安全甲板;9—坞墙;10—浮箱;11—内坞墙。

图8-5 完工浮船坞下水

根据船舶入坞的方式分为纵移式和横移式。纵移式的浮坞中心线与水平船台移船轨道平行,可以采用双墙式浮坞,船舶入坞按船长方向移动,如图8-6所示。

横移式浮坞多使用单墙式浮坞,也可以使用双墙式浮坞,但这种浮坞的一侧坞墙可以拆除,使用时将浮坞横靠在水平船台之岸壁,拆去靠岸一侧坞墙,将船舶拖入浮坞,再将活动坞墙复做下水作业,如图8-7所示。

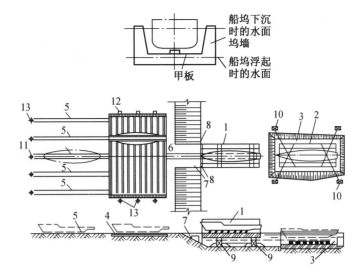

1—浮船坞;2—浮船坞坑上的浮船坞位置;3—沉坞坑;4—横移车;5—船台;6—通往浮船坞的轨道;
7—突码头;8—定位装置;9—支墩;10—固定浮船坞用的锚;11—电动绞盘;12—电绞车;13—地牛。

图8-6 纵移式浮船坞下水

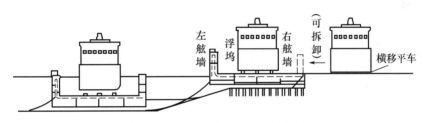

图8-7 水平船台与浮船坞横向下水

浮坞下水设施具有可与多船位水平船台对接的能力,造价较低,建造周期亦短,下水作业平稳安全,但作业复杂,多数时候要配备深水沉坞坑。

8.1.3 机械化下水

运用机械化设施完成船舶下水的工艺过程,叫作机械化下水。随着造船技术的发展,下水操作的机械化程度不断提高,出现了名目繁多的机械化下水设施和下水方法。

1. 纵向船排滑道机械化下水

船舶在带有滚轮的整体船排或分节船排上建造,下水时用绞车牵引船排沿着倾斜船台上的轨道将船舶送入水中,使船舶全浮的一种下水方式,如图8-8所示。

分节式船排每节长度是3~4 m,宽度是典型产品船宽的80%,高度在0.4~0.8 m。由于位于船首的那节船排要承受较大的首端压力,因此要特别加强其结构,故分为首节船排和普通船排两种。由于船排顶面与滑道平行,而且高度只有0.4~0.8 m,所以其滑道水下部分较短,滑道末端水深较小,采用挠性连接的分节船排时,由于船排可以在船舶起浮后在滑道末端靠拢,则可以进一步降低滑道水下部分长度和降低末端水深。这种滑道技术要求较低,水工施工较简单,投资也较小,而且下水操作平稳安全,主要适用于小型船厂。但由于船排高度小,船底作业很不方便,一般仅适用小型船舶的下水作业。为提高船排滑道的利用率,适应批量造船的需要,出现了带有横移坑和多船位水平船台的纵向船排滑道,如图8-9所示为一种带液压摇架和横移区的纵向船排滑道布置图。下水时,首先将船舶从水平船台移至横移车上,拉曳横移车将船舶移至滑道区与液压摇架对准(此时的液压摇架成水平状态),将船移到液压摇架上,然后调整摇架两端的液压千斤顶,使摇架倾斜成与滑道相同的坡度,即可将船移入水中。

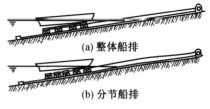

图8-8 纵向船排滑道

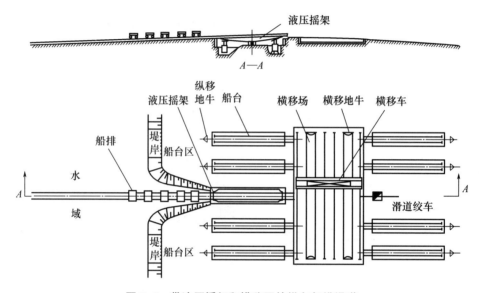

图8-9 带液压摇架和横移区的纵向船排滑道

2. 双支点纵向滑道机械化下水

这种下水方式是使用两辆分开的下水车支撑下水船舶,它可以直接将船舶从水平船台拖曳到倾斜滑道上从而使船舶下水。

这种滑道是用一段圆弧将水平船台和倾斜滑道连接起来,以便移船时可以平滑过渡,具有结构简单、施工方便、操作容易的优点,缺点是由于只有两辆下水车支撑船舶首尾,对船舶纵向强度要求很高,在尾浮时会产生很大的首端压力,因此只适用纵向强度很大的船舶,如图8-10所示。

3. 变坡度横移区纵向滑道机械化下水

这种下水方式的横移区由水平段和变坡段两部分组成,如图8-11所示。侧翼布置有多船位水平船台的横移区,因移船的需要使横移车轨道呈水平状态,故称水平段;变坡度的横移区其轨道只有一组仍为水平,其他各组均带有坡度,这些轨道的坡度能使横移车在横移过程中逐步改变其纵向坡度,最后获得与纵向滑道相同的坡度,故称为变坡段。同时,为使横移车在变坡段仍保持横向水平,带坡度轨道均采用高低两层轨道的方式。

由于横移区具有变坡功能,所以采用纵向倾斜滑道下水,同时,可以在下水滑道纵向轴线处建造一座纵向倾斜船台,通过横移车在水平段实现与水平船台的衔接;在变坡段末端实现与纵向倾斜船台、下水滑道的衔接,使一种下水设施可以供两种船台使用。这种滑道是用船台小车兼做下水滑车的,故滑道末端水深较小,滑道建设投资小。但是,这种下水方式和所有采用纵向下水工艺滑道一样存在船舶尾浮时较大的首端压力。

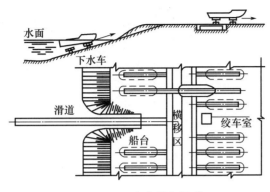

图8-10　双支点纵向滑道

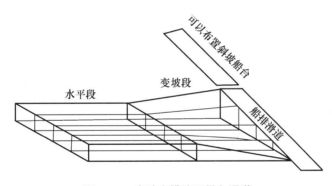

图8-11　变坡度横移区纵向滑道

一般这种方式多用于国内码头岸线紧张而腹地广大的渔船修造厂和中小型船厂,修造船可以在内场水平船台进行,只设一条下水滑道,减少滑道水下部分的养护工作量。

4.梳式滑道机械化下水

这种下水方式由斜坡滑道和水平横移区组成,而且和横移区侧翼的多船位水平船台连接,船台小车和下水车分别单独使用。

在斜坡滑道部分铺设若干组轨道,每组轨道上有一辆单层楔形下水车,每辆下水车有单独的电动绞车控制。斜坡滑道部分和横移区的轨道交错排列,位于轨道错开地区处于同一水平处的连线称为零轴线,水平轨道和斜坡滑道互相伸过零轴线一定长度,形成高低交错的梳齿,所以称为梳式滑道,如图8-12所示,其作用是将水平船台上的待下水船舶转载到楔形下水车上。

具体操作时,将船舶置于船台小车上,开动船台小车做纵向运动,待船舶移到横移区的纵向轨道和横向轨道交错处时,启动小车下部的液压提升装置提升船台小车的走轮,将车架旋转90°后落下走轮到横移轨道上,开动船台小车将船舶运动到零轴线处,再次启动船台小车上的提升装置将船舶略为升高,此时用电动小车将楔形下水车托住船舶,降下船台小车的提升装置并移开船台小车,船舶即坐落在下水车上,最后开动下水车上的电动绞车将船舶送入水中完成下水作业。

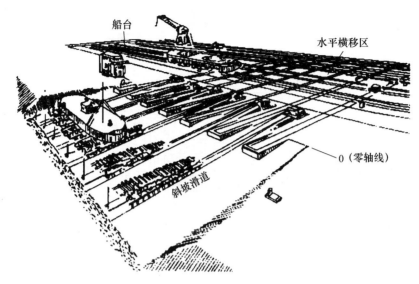

图 8-12　梳式滑道鸟瞰图

船台小车和下水车各自有单独的电动绞车,免去穿换钢丝的麻烦,提高了作业的安全性和作业效率;下水车的轮压较低,对斜坡滑道的施工精度要求较低;各个区域的建设独立性较强,可以分期施工。但由于自备牵引设备,船台小车结构复杂,维修繁琐;船台小车走轮转向和零轴线处换车作业麻烦。梳式滑道适用于中、小型内河平底船舶的下水和上墩。

8.1.4　其他下水方式

一些船厂结合本厂的实际情况,采用一些其他下水方式。

1. 气囊下水

气囊下水指船舶下水时,先用若干直径较大的支承气囊将船舶抬高,拆除船舶建造时所用的龙骨墩和边墩,再置入滚动气囊,并将支承气囊中的空气放掉,然后利用绞车使承载在滚动气囊上的船舶移向水域,如图 8-13 所示。这种方法适用于小型船舶的下水,或将船舶从水域拖上船台。有些船厂还用于大型船舶的总段下水,然后将总段拖进船坞进行合拢。由于在下水过程中,可以很方便地调整船舶移动方向和移动速度,因此对水域狭窄、水位变化较大的船厂较为适用。

气囊下水有其独特的优越性,但必须采取相关的安全保障措施,应该精心设计船舶气囊下水的船台和折角型下水坡道;根据船舶重量、重心位置、船底型线、下水坡度、水位高低等进行气囊下水计算;对每只气囊在滚动的每一个行程,尤其是在船舶产生艉落和艉上浮时的内压和内应力应有计算依据。

气囊下水是一项极具发展前途的新工艺,它克服了以往中小船厂船舶修造能力受制于滑板、滑道等传统工艺的制约,因具有投资少、见效快、安全可靠的特点而受到造船行业的欢迎。

图 8-13 气囊下水

2. 水垫下水

这种下水设施主要是设有水垫装置的墩木,水垫装置与高压水管相连,下水时,水垫装置通入高压水,使喷射出来的高压水流在装置与地面之间形成水垫,将船舶微微托起,再将船舶拖曳入水。此法要求岸边滩地有足够的承压能力,以防水压耗损过大、过快。目前,此方法国外采用较多,国内船厂还不具备使用条件。

8.2 船 舶 试 验

8.2.1 船舶试验的目的

检查、评价和调整设备与系统的安装质量和工作状况,以便确认新建船舶是否满足设计任务书和有关规范的要求,以期获得船舶检验机构签发的相关证书,保证船舶安全可靠的投入营运。

与船体建造和船舶舾装相比,交船与接船的试验周期较短。因此,必须在试验前做好充分准备,以确保顺利交船。为了减少后期试验项目,应该根据船体建造和船舶舾装的工艺阶段将试验工作分阶段及时进行。

8.2.2 船舶检验组织

船舶交接试验工作通常参与的人员有:船厂、验船师(船级社)、船东代表、设计方(首制船舶)。

1. 船级社

船级社是制定规章制度、执行监督检查和签发船舶证书的法定组织机构。世界上一些主要的航运国家都设有船舶检验和技术监督机构(表 8-1),以对法定范围内的船舶执行监督检验,并办理船舶入级业务。

表 8-1　世界主要船级社及验船机构名称

名称	简称
英国劳氏船级社	LR
法国船级社	B. V.
意大利船级社	RIN
美国船舶局	ABS
挪威船级社	NV（DNV）
德国劳氏船级社	GL
日本海事协会	NK
俄罗斯船舶登记局（原苏联船舶登记局）	RS
中国船级社	CCS

我国船级社根据工作需要,在主要港口及船舶和船用产品制造厂设置办事机构或派驻验船师,并对下属验船机构进行业务指导。其主要职权如下所述。

(1)制定规章制度和各种规范。制定有关船舶检验、船舶入级、船舶证件、船舶检验费等事项的规章制度和船舶建造、吨位丈量、载重线、乘客定额、各种航行安全设备、各种机械设备等规范,经交通部批准后公布施行。

(2)执行监督检验,发放营运证书。对建造、修理和运营中的船舶执行监督检验,技术条件符合规定要求的,发给船舶适航的证件和运用各种机械设备的证件。

(3)执行监督检验,发放检验合格证书。对制造中的船用主要产品和材料执行监督检验,技术条件符合规定要求的,发给检验合格证件。

(4)对到达中国港口的外国船舶执行监督检验。

(5)对申请入级的船舶进行入级检验,符合入级条件的,授予船级并发给船级证书。

(6)接受申请,办理有关船舶的鉴定、公证等检验业务。

(7)根据中国参加的有关国际公约和国际协议,代表政府签发有关公约或者协议所规定的船舶证书。

2.船东代表

为了使船舶符合某种技术等级,船东自愿申请接受某个船级社或验船机构规定的检验,并要求获得有关证件。这是船舶买卖、出租和招徕客户的需要,也是船舶保险和船运货物保险的需要。

各类航运公司或用船单位通常派出自己的技术人员到船厂负责合同船舶的检验、认可工作。在航行试验阶段,船东还会派出接船队到船厂参加试航验收工作;在交船后将船舶驶离船厂,投入运营。

3.船厂交验组织

船厂检验部门是直属厂长领导的工作部门,与生产部门并列。这个组织根据国家、专业和企业标准进行产品质量检验;参与制订试验大纲和检验项目,代表船厂向船级社和船东代表提交检验项目,并负责向船级社申请船舶入级检验、法定检验和认可工作。

在航行试验阶段,船厂从有关车间和部门抽出一些技术人员和工人组成交船队,负责最后阶段的试验工作。交船队的主要负责人有交船队长、交船轮机员、试验组长和交船船长等。交船船长可由船厂厂长任命,也可由船东一方的接船队船长担任。

8.2.3　试验内容及要求

船舶的交接试验通常分几个主要阶段来实施:试验准备,系泊试验,航行试验,设备拆检与检查性航行试验。

1. 试验准备

试验准备包括仪器、设备的调试工作。该阶段的主要任务是进行船用设备的启封、清洗,检查管路和系统,电路通电等。随着船用电器的增加,试验准备的工作量也越来越大。

2. 系泊试验

系泊试验通常是船舶停靠在舾装码头旁进行。试验开始前,试验组长代表船厂向船级社和船东代表提交系泊试验大纲及有关文件。

船舶系泊试验应符合规范、规程规定的试验大纲进行,并应遵守标准规定的试验方法。对无上述规定的新设备,应按产品技术条件进行试验。此阶段中,对在航行试验中无特殊工况要求的设备,如系泊装置等,应作为最后试验并交接。对有的设备,如主动力装置等,在系泊试验中无法全面检查其规定的各种参数,应在航行试验中进行试验。

试验中,应随时记录船用设备的各种参数、缺陷和意见,并将其记录在试验登记表内,作为以后办理证明书的原始材料。

3. 航行试验

航行试验通常在海上或江河中进行,在那里有必要的水深和可供各种船用设备进行专门检查的技术保障。航行试验的目的是根据协议书和批准的技术设计,对建造船舶的技术性能实行全面考核。

试验开始前,试验组长应代表船厂确认航行试验一切准备就绪,并向船级社和船东提交航行试验大纲及有关文件。

航行试验中,各种机械、装置、系统和设备的验收工作必须严格按照试验大纲和航行试验履历簿规定的内容进行。航行试验履历簿为航行试验阶段的完工文件,故各种试验结果应整理成图表形式的证明书并达到试验规程要求。

船舶扩大航行试验一般仅在首制船上进行。其目的是通过扩大试验全面检查新设计船的快速性、操纵性、适航性及其他特殊性能。试验中应测定下列内容:

(1)螺旋桨在低、中、高几种常用转速下的航速及尾轴功率;

(2)船舶在低速、中速、高速航行时,采用各种不同舵角时的操纵性;

(3)船舶在风浪中的适航性;

(4)船体振动;

(5)轴系扭振;

(6)特殊用途船舶的专用设备工作性能考核。

综合航行试验主要在首制的特种舰船上进行,如医疗船、渔业加工船、航空母舰、供应船等,目的是考核设备作业能力,与飞机和其他舰船配合能力,风浪对作业的影响程度及在各种环境条件下维护、修理和设备应急更换的方便程度。

4. 设备拆检

船用设备拆检通常于系泊或航行试验结束之后在船厂内进行。检查和抽查的内容由船东代表或船舶检验局的代表确定,通常为有问题或有疑问的设备部分。

拆检是对各种船用设备进行检查性的拆卸,进一步了解其内部状况和有无隐患,而且还需对个别零部件进行分解检查。在拆检的同时,还应抓紧消除检查中发现的所有缺陷,完成舱室和全船的最后装饰和油漆。

5.检查性航行试验

检查性航行试验必须在完成上述各项工作之后进行。它是一种海上或江河中的航行检查,也可在船厂内采用模拟的方法进行检查,其目的是检查拆检后的设备运转情况,并使接船人员进一步熟悉船上各种设备,以增强他们的操纵和维护技能。检查性航行试验为交接试验的最后阶段,它的完成标志着船舶建造过程的结束。

8.3　交　船

船舶建造完工的最终阶段是交船。交船是一项程序性工作,即通过一些移交手续,船厂把船舶交给船东使用。因此,交船是船舶建造合同的总结,具有合同的法律效力,必须维护双方的正当权利。

8.3.1　不完善项目

在船舶建造过程中,特别是在船舶试验、住舱完工与检验的后期阶段,船东和验船部门应该对不合格或不满意的合同项目编制清单,及时向船厂提出;船厂应当对提出的不完善项目及时进行处理,以便使问题减至最低程度。不完善项目改正后,验船部门和船东应及时检查,如果已合乎要求,应签字认可。

8.3.2　备件清单

为了便于船东认可,通常规定船厂准备一份完整的备件清单。备件清单不仅包括备件和工具,而且还包括交船时船上所有的便携式和可移动的设备。由于清单内容庞大,为了在交船前使清单编制完成,通常在交船前三个月就开始编制。

一般要求备件放置在船上带锁的特制箱柜里,箱柜位于设备附近的方便处。不便安全存放的便携式和散放船具,应该推迟到交船前安置。交船前,所有的油舱应做测量,各种油、脂等桶器应共同盘点。

8.3.3　交船日期

在计划交船日期前一周,船东代表和船厂应该联合对船舶进行检查,查明遗留的未完成工作和不完善项目的状况。根据实际条件,在正常的情况下可达成一个确定的交船日期。但如果船东不急需用船,那么每一个不完善项目都可能成为其拒绝接船的正当理由。对于此类事件,大多数合同条款中会做如下叙述:当船舶完工或基本完工,且所需的试验都已通过时,船厂至少应在五天之前向船东发出书面通知要求交船。"基本完工"可具体解释为:除少数不影响船舶营运使用的项目之外,其余都已完工。

8.3.4　交船文件

典型的建造合同应当包括这样的条款,即所交的船舶应该符合指定国家的有关法令和各章节中指定的各种法规;并且还进一步要求船厂必须获得各种必要的证书和文件,用以证明建造过程实属认可。交船文件的种类和签发单位,各国都有规定。在交船的时候,船东希望能无条件、无例外地获得所有文件。实际上,由于主管部门的行政手续等多种原因,不太有可能在交船的同时递交一套完整的证书。为此,在接到正式的文件之前,习惯上由临时发信来取代。在这种情况下,船厂必须向船东提供适当的文件以证明不会影响船舶的运营与保险。

8.3.5　交船前会议

交船前一两天,应该召开由船厂、船东和验船机关代表参加的工作会议,为最终交船创造条件。典型的会议议事日程通常如下。

(1)审议验船机关认为未解决的不完善项目,并证明这些项目或备件单上的缺项不妨碍船舶投入运营。

(2)审议文件清单,提出交船时不能获得证书的项目,并证明这不妨碍船舶运营和保险等级。验船机关的代表在这一点上可回避。

(3)讨论所有尚存的不完善项目,提出一致的处理意见。

对交船与完工证书的内容进行审议并取得一致意见之后,便可以确定交船日期,举行交船仪式。

8.3.6　交船仪式

交船仪式通常包括下列内容。

(1)船厂向船东提交规定的各种证书和文件,经核对之后,双方在文件提交凭据上签字,证明可供使用的文件都已提交。

(2)船东签收随船图纸。

(3)船东签收随船说明书。

(4)船长签收船舶钥匙和保险柜密码。

(5)船厂和船东在交船与完工证书及其异议附件上签字。附件的定稿复本应事先提交船厂,以便有时间确认厂方对所有列入的不完善项目能承担的责任。

交船仪式结束后,船舶就归船东使用或处理。作为船舶的建造工作虽然已经结束,但是作为船舶的建造合同还没有终止。

8.3.7　保证期

保证期就是合同船舶在交船以后船厂承担质量保证义务的一定时间。保证期的长短由建造合同规定,如交船后六个月。现在比较普遍的做法是对整条船舶规定一年保证期。

在保证期内,船厂对交船与完工证书附件中有异议的项目承担改正责任,并且对船舶在正常使用过程中所产生的故障也承担修理责任。合同可以规定船舶返回承造厂修理;也可以请就近的船厂修理,但承造厂应派代表到场。在保证期结束之后的第一个航运间隙,通常应安排一次保证期检验、解决建造合同中所有悬而未决的问题,并就检验单上所有项目的责任问题达成协议。协议以保证期检验报告为文件初稿。双方代表签字以后,保证期检验报告便成了记载合同中保证条款所规定的厂方未尽义务的正式文件。若无申诉或诉讼,船厂一旦尽到了这些义务并使船东满意,船舶建造合同便告完成。

船舶下水、试验与交船的思维导图,如图 8-14 所示。

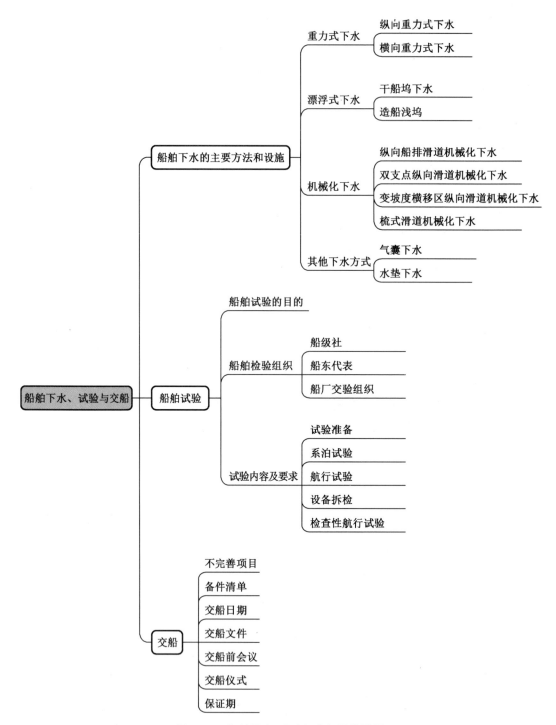

图 8-14　船舶下水、试验与交船思维导图